del
adiestramiento positivo

EDITORIAL HISPANO EUROPEA S. A.

La autora, Miriam Fields-Babineau, con unos cachorros de Golden Retriever.

BIOGRAFÍA DE LA AUTORA

Miriam Fields-Babineau ha adiestrado, profesionalmente, a perros y a otros animales desde 1978. Ha sido propietaria y ha dirigido Training Unlimited Animal Training y Animal Actors, Inc. durante 25 años. Enseña a la gente cómo comunicarse con sus perros y cómo adiestrarlos, sin importar su edad ni su raza, y está especializada en solucionar problemas relacionados con el comportamiento.

Miriam Fields-Babineau es autora de muchos libros relacionados con los animales, entre los que se incluyen *Adiestramiento de un perro con un arnés para la cabeza* (*Dog Training with a Head Halter*, Barron's Educational Series, Inc.), el libro electrónico *Cómo convertirse en un adiestrador canino profesional* (*How to Become a Professional Dog Trainer*, Intellectua.com), *Aspectos básicos del adiestramiento canino* (*Dog Training Basics*, Sterling Publishing Co., Inc.) y muchos más. Escribe numerosos artículos para revistas gremiales, como las premiadas *Off-Lead Magazine* y *Practical Horseman*. Ha producido los vídeos *El primer hola (The First Hello)*, que trata sobre cómo preparar a un perro para la vida con un niño, y *Adiestramiento de un perro con un Comfort Trainer (Dog Training with a Comfort Trainer)*, que muestra cómo adiestrar a un perro usando un tipo de arnés para la cabeza, el Comfort Trainer.

Miriam Fields-Babineau también proporciona animales para la televisión, películas y anuncios, y ha trabajado con el National Geographic, Animal Planet, el History Channel, Warner Films, Orion Films, el Discovery Channel, la CBS, el Family Channel y muchos más. Cuando no adiestra a los animales de compañía de otras personas, viaja por el país, actuando en competiciones equinas y caninas, mostrando además las habilidades de sus gatos adiestrados.

Fotografías por:
Bernd Brinkmann, Evan Cohen, Miriam Fields-Babineau, Isabelle Français y Carol Ann Johnson.

Consulte nuestra web:
www.hispanoeuropea.com

TÍTULO DE LA EDICIÓN ORIGINAL: **ABCs of Positive Training**
ISBN-10: 84-255-1673-0
ISBN-13: 978-84-255-1673-3

© Copyright 2006 Aqualia 03 s.l.
© de la traducción: **David George.**
© edición en castellano: **Editorial Hispano Europea, S.A.**
Primer de Maig, 21 - Pol. Ind. Gran Via Sud - 08908 L'Hospitalet - Barcelona, España

del
Adiestramiento positivo

por Miriam Fields-Babineau

Índice

TAN SENCILLO COMO EL ABECEDARIO

Empecemos explicando la terminología que suelen usar los adiestradores caninos que aplican la técnica del adiestramiento positivo. El adiestramiento positivo es tan sencillo como elogiar a su perro por un buen comportamiento: es tan fácil como decirle «¡Sí, buen perro!,» y ahora es tan fácil como el abecedario.

ADIESTRAMIENTO FORZADO
El perro es conminado u obligado de algún otro modo a realizar algo sin dársele la oportunidad de hacer la elección correcta.

ALLEY-OOP
Un utensilio diseñado por Gary Wilkes para enseñar al perro a centrar su atención en un objeto. Consta de una base circular que no puede volcarse, un poste cilíndrico de alrededor de 30 cm de longitud y una pelota redonda en la parte superior del poste. Puede colocarse en prácticamente cualquier superficie y permanecer vertical, lo que lo convierte en una herramienta excelente para que el animal se fije en un objeto a una cierta distancia.

APROXIMACIÓN GRADUAL
Incremento gradual de criterios.

ARNÉS PARA LA CABEZA
Un utensilio para el adiestramiento que el perro lleva puesto en la cabeza y que se parece al arnés de un caballo (no es una brida, ya que no tiene un bocado). Este utensilio está diseñado para aplicar presión en la parte superior del hocico del animal y para guiar su cabeza. El cuerpo sigue a la cabeza reduciendo así la fuerza de «tiro» del perro y enseñándole rápidamente a prestar atención mediante una forma en que lo entiende.

CADENA DE COMPORTAMIENTOS
Un grupo de comportamientos. Por ejemplo: andar al pie y sentarse; tumbarse y quedarse quieto; sentarse, quedarse quieto y luego venir.

CAJA DE SKINNER
Una herramienta para el condicionamiento operante que enseña a un animal pequeño (una rata, una paloma, un pollo) cómo obtener una recompensa mediante la provocación de una respuesta concreta. La caja suele ser de metal y dispone de una tolva con alimento, junto con un botón iluminado o una palanca que, al ser presionada, hará que la comida caiga al comedero.

CAPTURA
En el momento en que el perro ha realizado un comportamiento que usted quería, se le «puentea». Esto captura el momento en que él ha hecho algo que usted quería que hiciera. Como ha aprendido que la señal puente significa una recompensa, intentará repetir el comportamiento para obtener más premios.

CASTIGADORES PRIMARIOS
Un utensilio para el adiestramiento. Ejemplos: collar estrangulador, collar de púas, collar electrónico.

CASTIGADOR NEGATIVO SECUNDARIO
Negar al perro cualquier reacción o premio. Esto provoca que el perro lleve a cabo (pruebe) comportamientos nuevos, ya que no ha recibido ni una recompensa ni un castigo de ningún tipo.

CASTIGADOR SECUNDARIO
Un correctivo que se da, al principio, junto con el castigador primario. Por ejemplo: la palabra «No» dicha en un tono de voz grave y como gruñendo. El perro aprenderá a evitar el castigador primario, corrigiendo así su comportamiento al oír el castigador secundario.

CASTIGO
La utilización o la retirada de un estímulo para así reducir la incidencia de un comportamiento.

CASTIGO NEGATIVO
Un estímulo o recompensa es alejado del perro para extinguir un comportamiento. Ejemplo: se da usted la vuelta cuando el perro le salta encima, no proporcionándole así la satisfacción de obtener una reacción por parte de usted.

CASTIGO POSITIVO
Se añade algo para castigar al perro. Ejemplos: un tirón del collar o rociar al perro con agua en la cara.

CEBO/TENTACIÓN
Comida o un juguete que se usa cerca del hocico del perro para conseguir captar y mantener su atención.

CLICKER
Una cajita de forma ovalada o rectangular (la clásica «ranita»). La cajita rectangular tiene una pieza de metal que, al ser presionada, emite un ruido (click). La cajita ovalada tiene un botón que presiona un trozo de metal que emite un ruido similar al soltarlo.

COLLAR DE PÚAS
Un collar de eslabones metálicos con unas púas vueltas hacia el interior y fabricado de modo que dichas púas queden rodeando el cuello del perro. Cuando se tira de este collar, las púas se juntan y provocan pellizcos, ya que dejan la piel atrapada entre ellas. Y sí: provoca dolor. Sin embargo, cuando es usado correctamente, puede ser un utensilio útil para el adiestramiento de aquellos perros que no responden a los métodos más amables. No obstante, estos perros son escasos y poco frecuentes, ya que la mayoría de los perros responderán, de un modo u otro, al adiestramiento positivo.

COMPORTAMIENTO/CONDUCTA
Cualquier cosa que haga un perro es un comportamiento o conducta. Por ejemplo: «Siéntate», «Túmbate», que vaya hacia usted, que se meta en el cubo de la basura, saltar encima de alguien, etc.

COMPORTAMIENTO DE AUTOGRATIFICACIÓN
Cualquier cosa que proporcione placer al perro sin la implicación de usted. Ejemplos: revolver en los cajones, revolver entre la basura, saltar encima de alguien, salir corriendo por una puerta.

CONDICIONAMIENTO CLÁSICO
Un estímulo que, automáticamente, provoca una respuesta incontrolable. Por ejemplo: Pavlov condicionó a los perros de forma que salivaban cuando oían una campana, ya que siempre les alimentaba tras hacerla sonar.

CONDICIONAMIENTO OPERANTE
Una señal (estímulo) es relacionada con una recompensa, provocando así una respuesta aprendida.

CONSTANCIA
Hacer lo mismo cada vez, independientemente de la situación.

COLLAR ELECTRÓNICO/
COLLAR DE ESTIMULACIÓN ELECTRÓNICA
Un collar que provocará una sensación incómoda al ser activado por la vibración de las cuerdas vocales del perro o mediante el uso de un mando a distancia.

COMPORTAMIENTO INSTINTIVO
Un comportamiento que surge de forma natural.

CRITERIOS
Las normas y/o condiciones que marque deben cumplirse antes de recibir una recompensa.

DISTRACCIÓN
Cualquier cosa que haga que el perro deje de prestarle atención como, por ejemplo, juguetes, comida, personas, perros, otros animales, el tráfico, ruidos fuertes.

DOMINANTE
Que está al mando. El número uno. El jefe.

ELOGIO
Palabras de recompensa dichas al perro en un tono de voz agudo y animado.

ESTÍMULOS
Algo que desencadena una reacción. Puede ser un objetivo, una tentación, un juguete o una indicación verbal o visual.

EVITACIÓN
Intentar mantenerse alejado de algo.

EXTINCIÓN/EXTINGUIR
Eliminar un comportamiento.

FIABILIDAD
Un comportamiento seguro y constante en cualquier situación.

FIJAR LA ATENCIÓN EN UN OBJETO
El hecho de que el perro observe constantemente un objeto o que vaya hacia él al ordenárselo.

FIJARSE EN UN OBJETO SITUADO A
CIERTA DISTANCIA
Colocar algo a lo que quiere que el perro se acerque y toque lejos de usted.

HUIDA
Intentar evitar un estímulo. Ejemplo: un perro que haya aprendido que un cierto objeto puede aportarle un gran dolor o ansiedad se alejará de dicho objeto.

INSTINTO/DESEO DE IR TRAS LA PRESA

El instinto/deseo de ir tras algo que le reportará alimento, refugio o territorio. Los perros son depredadores, y todos tienen este instinto.
Ejemplo: un perro que persigue a ardillas.

INDICACIÓN VERBAL

El uso se su voz para guiar al perro y darle órdenes.

INDICACIÓN VISUAL

El uso del lenguaje corporal y de gestos concretos con las manos (o con otra parte del cuerpo) para dar órdenes u orientación.

INTERVALO ALEATORIO

Una cantidad variada de tiempo entre las acciones.

INTERVALO FIJO

Una cantidad fija de tiempo tras la cual se dará un premio.

INTERVALO VARIABLE

Una cantidad aleatoria de tiempo o en el número de respuestas correctas antes de darle una recompensa. El receptor del premio no tiene ningún control sobre cuándo se lo darán.

LLEVAR A CABO UN COMPORTAMIENTO

Realizar un comportamiento. Un perro que haya aprendido a provocar recompensas intentará llevar a cabo distintos comportamientos para obtener un premio. Por ejemplo: se sienta y no obtiene una recompensa, luego se tumba y no obtiene un premio, y después da la vuelta sobre sí mismo y sí obtiene la recompensa. Llevó a cabo tres comportamientos antes de averiguar cuál era el deseado.

MOLDEO

Desarrollar una conducta deseada desglosándola en porciones más pequeñas, logrando realizar estas porciones y luego uniéndolas para conseguir el comportamiento deseado completo.

MOLDEO DEL COMPORTAMIENTO

Trabajar el conocimiento de un comportamiento que ya se sabe para transformarlo en un comportamiento nuevo. Por ejemplo: el perro sabe sentarse y usted quiere enseñarle a quedarse quieto en esa posición. Cada vez que el perro se quede sentado en un mismo lugar durante unos pocos segundos más, estaremos moldeando su comportamiento para que sepa cómo quedarse quieto.

MOTIVACIÓN

El deseo de hacer algo o de comportarse de una forma concreta.

PROPORCIÓN FIJA

Una cantidad concreta de respuestas correctas tras la cual se dará una recompensa..

PROGRESIÓN

Avanzar en el adiestramiento para enseñar nuevos comportamientos.

PROGRAMAS DE REFUERZO

Los intervalos a los cuales se ofrecerá una recompensa, incluyendo el intervalo fijo, el intervalo variable, la proporción fija y la proporción variable.

PUENTE

El punto que se encuentra entre la respuesta de un perro a un estímulo y el que reciba una recompensa.

RECOMPENSA

Cualquier cosa que le guste al perro. Ejemplos: comida, juguetes, ejercicio.

RECOMPENSA VARIABLE

Cambiar el valor de la recompensa según la actuación del perro.

REDIRECCIÓN

Apartar la atención del perro de un comportamiento inadecuado y dirigirle hacia un comportamiento adecuado o que aprobamos.

REFORZADOR

Cualquier cosa que contribuya a los logros de un perro.

REFORZADOR PRIMARIO

Una recompensa que el receptor no debe aprender a que le guste.

REFORZADOR SECUNDARIO

Se trata de acciones que el receptor debe aprender a que le gusten. Ejemplos: las palabras «Bien» o «Sí».

REFUERZO NEGATIVO

Se elimina un estímulo que provoca aversión para potenciar un comportamiento. Ejemplo: se retira la presión en el morro que provoca el arnés para la cabeza cuando el perro presta atención.

REFUERZO POSITIVO

Se añade algo para recompensar al perro. Ejemplos: elogios, premios, juguetes.

REGRESIÓN

Retroceder un paso o dos hasta un punto en el que el perro mostraba respuestas exitosas. Esto sucede cuando el progreso se detiene. La regresión se lleva a cabo para mantener un actitud positiva.

RELACIÓN VARIABLE

Relación con la cual se ofrece la recompensa cuando se da la mayor cantidad de respuestas en una serie concreta de estímulos.

RESPUESTA

Reacción ante un estímulo.

RESPUESTA APRENDIDA

Un comportamiento que se da tras la presentación de un estímulo concreto. Por ejemplo: Ordena al perro que se siente y éste lo hace. Ha aprendido a responder al estímulo de su orden.

RESPUESTA CONDICIONADA

Una respuesta enseñada ante un cierto estímulo.

RESPUESTA POSITIVA

Su perro se comporta correctamente.

SEÑAL DE PUENTEO

Ejemplos: el ruido de un click, de un juguete que emite un pitido o las palabras «Bien» o «Sí» pronunciadas en un tono de voz alegre que indican al perro que está a punto de recibir una recompensa.

SUMISIÓN ACTIVA

El perro cede su papel de liderazgo tumbándose en una posición de sumisión. Puede tumbarse sobre el estómago, el dorso o el costado. Su cola se menea, lentamente y baja, y quizás se lama los labios, parpadee y tenga las orejas gachas. El perro intenta parecer más pequeño y menos amenazador.

SUMISO

Hace referencia a un perro que sólo quiere formar parte de la manada y no dirigirla. Se somete fácilmente ante un reto. Un perro sumiso intentará parecer más pequeño de lo que en realidad es. Se agachará o se tumbará, mostrará el vientre o recogerá la cola entre las patas y parpadeará o mirará hacia otro lado. Algunos perros orinarán por sumisión.

TENTAR

Usar comida o un juguete para hacer que su perro se mueva y adopte una posición deseada o para provocar un comportamiento concreto.

TERRITORIAL

Que está al mando de un espacio o un objeto concreto.

TOCAR/TACTO

Un tipo de refuerzo positivo, ya que a los perros les encanta que sus propietarios les rasquen en ciertos lugares y les acaricien.

VALOR (DE UNA RECOMPENSA)

La importancia o lo deseable que resulta una recompensa para un perro. Cada perro tiene distintos gustos. Algunos quizás piensen que el pienso es el mejor premio del mundo, mientras que otros no dedicarán ningún esfuerzo a algo que ya obtienen sin hacer nada a cambio. Sin embargo, la mayoría de los perros no son alimentados a base de perritos calientes, hígado liofilizado, queso o filete, por lo que trabajarán más duro para obtener trocitos de estas delicias más apreciadas. Para algunos perros la comida no tiene mucha importancia, pero el que les toquemos o acariciemos tiene un gran valor.

VENIR/VOLVER

Que el perro acuda hacia usted cuando se lo ordene.

Aprenda cómo enseñar a su perro de forma positiva para que así actúe para usted en cualquier lugar y situación.

El origen del condicionamiento operante

El adiestramiento positivo de los perros se basa en los estudios, alrededor de principios del siglo XX, del conocido psicólogo Edward Thorndike. Estudió la capacidad para resolver problemas de los gatos y los perros y tenía especial interés por la comparación del comportamiento aprendido que se daba mediante la imitación o la observación, además de la rapidez con la que se repetía una respuesta mecánica una vez tenía éxito. ¿Aprenden mejor los animales intentándolo una y otra vez y obteniendo, con suerte, la respuesta deseada?, ¿o pueden aprender mediante la observación de la actuación de otros animales? Sus resultados dieron lugar a una «ley» de la psicología (la ley del efecto), que dice, en esencia, que cuanto más cercana esté la recompensa del estímulo, más rápidamente se dará el comportamiento para obtener el premio, mientras que el comportamiento asociado al malestar se tornará menos pronunciado.

En 1914, John Broadhus Watson extrapoló que la ley del efecto de Thorndi-

Un perro bien adiestrado y educado es un compañero maravilloso que proporciona una enorme satisfacción a sus propietarios.

ke era incorrecta y que los animales respondían, sencillamente, a través del instinto y de los reflejos ante los estímulos, sin usar razonamiento alguno ni comportamientos para la resolución de los problemas. Sus experimentos implicaban a ratas colocadas en laberintos, condicionándolas a aprender varias rutas para alcanzar su recompensa en forma de comida. Watson manifestó que los reforzadores o recompensas podían provocar que un cierto comportamiento se diera con más frecuencia, pero que no actuaban directamente sobre la curva del aprendizaje. En esencia, rechazó la noción de la memoria retenida hasta que un estímulo reforzaba la asociación mediante la repetición.

Hacia la década de 1920, Edward Tolman demostró que las teorías de Watson no eran ciertas. Probó que las ratas podían reconocer (mediante la memoria) y aprender independientemente de los cambios inesperados en el entorno, pero que la reducción en la calidad de la recompensa debilitaría el aprendizaje. En 1942, este efecto fue estudiado todavía más por Crespi, otro etólogo, que mostró que una recompensa decreciente provocaba una respuesta más lenta, mientras que una creciente incrementaba la respuesta.

Todas estas investigaciones sobre el comportamiento fueron puestas en su sitio cuando Burrhus Frederic Skinner publicó *La conducta de los organismos* en 1938. Conectó todos los trabajos anteriores afirmando que a los animales les quedaban fijadas impresiones para dar ciertas respuestas a través del aprendizaje secuencial. La ley del efecto fue revivida mediante el desarrollo, por parte de Skinner, de la llamada Caja de Skinner, que permitía a los psicólogos estudiar la secuencia del comportamiento aprendido que se daba a lo largo de un periodo de tiempo. Skinner desarrolló, por tanto, el concepto básico del condicionamiento operante: la respuesta operante (respuesta aprendida) y el reforzador (premio). El estímulo era la señal que asociaba el acto con la recompensa.

Para comprender en su totalidad el condicionamiento operante, deberá entender cómo funcionaba la Caja de Skinner. Esta caja está completamente cerrada, y dispone de una palanca o un botón iluminado en un extremo, una tolva que contiene alimento y un suelo de rejilla sobre el que poder sustentarse. El sujeto es un animal como, por ejemplo, un roedor, una paloma o un primate. El animal es introducido en la caja y se le permite hacer lo que quiera mientras está en su interior. Un adiestrador puede mirar al interior de la caja a través de una ventanita y coloca un dedo sobre un disparador que libera una recompensa en forma de comida.

Cuando se libera la comida, la mayoría de los sujetos van directamente hacia la tolva y consumen el alimento. Si no es así, el sujeto se limpiará o paseará por la caja, acabando, finalmente, por llegar hasta donde está la comida y consumiéndola. Aprende rápidamente dónde está localizada la fuente de alimento, y permanecerá cerca para obtener más. Al hacerlo, el adiestrador desencadena la liberación de más alimento. Cada recompensa sucesiva se proporciona a medida que el sujeto se acerca cada vez más a la tolva. A continuación se requiere que el sujeto muestre un determinado comportamiento para obtener el premio en forma de comida, como por ejemplo tocar la palanca o el botón iluminado. El adiestrador enfoca la liberación de comida hacia cada respuesta comportamental sucesiva que haga que el sujeto se acerque cada vez más al objetivo (la palanca/el botón). A medida que se va condicionan-

Con la atención fijada firmemente en el adiestrador, estos perros han sido condicionados a sentarse para recibir las recompensas.

El que el perro fije la atención en un objeto es el primer paso para el adiestramiento canino positivo.

do al sujeto a tocar el objetivo para recibir su recompensa, incrementará, de acuerdo con ello, sus respuestas consistentes en fijar su atención en un objeto, dirigiéndose directamente al objetivo, tocándolo/presionándolo y recibiendo el premio. Este proceso recibe el nombre de moldeo. El adiestrador está moldeando el comportamiento mediante el reforzamiento de cada incremento en la respuesta general deseada.

En resumen, Skinner afirmó que un comportamiento reforzado positivamente se repetirá, y que la información debe ser presentada en pequeñas dosis para moldear las respuestas. También apuntó que el reforzamiento se generalizará ante estímulos similares y producirá un condicionamiento secundario, lo que significa que la curva de aprendizaje mejorará con cada comportamiento aprendido sucesivamente.

Ahora que ya conoce los principios básicos del condicionamiento operante, estudiemos cómo se aplica al adiestramiento de nuestros perros.

Refuerzo y castigo

Las primeras personas que usaron el condicionamiento operante fuera del entorno de un laboratorio fueron Keller y Marian Breland. Eran estudiantes de B. F. Skinner en la década de 1940. Durante esta época aplicaron el condicionamiento operante en perros. Keller Breland fue el primero en adiestrar a mamíferos marinos durante la década de 1950 y, poco después, nacieron los parques marinos, como Marineland y Sea World. El condicionamiento operante es usado, en la actualidad, para proporcionar a los espectadores las maravillosas actuaciones de delfines y orcas que se ven en los zoológicos.

Los adiestradores de animales han llevado el condicionamiento operante hasta un nivel más avanzado, poniéndolo a la altura del condicionamiento clásico. Piense en los perros de Pavlov: se hace sonar una campana (que es la señal que indica que se va a recibir comida), lo que provoca que el perro salive. El perro ha aprendido que ese sonido le aporta un premio en forma de comida. El aporte de la recompensa consistente en alimento se ve precedido de una señal-puente, que puede ser una luz, un vibrador o el ruido de un click. El perro aprende que una respuesta correcta le proporciona ese puente, que señala que la comida va a serle proporcionada con toda seguridad. Esto permite al adiestrador moldear múltiples comportamientos rápidamente. Aquí tenemos unos pocos ejemplos de refuerzo positivo:

• El perro obtiene una galleta por ir a hacer sus necesidades fuera de casa.

Los adiestradores de mamíferos marinos usan un silbato para puentear un comportamiento correcto.

ABAJO:
Los mamíferos marinos responden bien a las indicaciones visuales.

Cuando un perro salta encima de una persona, lo mejor es no dejar que pose sus pies sobre usted, ya que este contacto le sirve como recompensa.

• Le pagan un sueldo por realizar un trabajo.
• Un niño es llevado al parque de atracciones por sacar buenas notas.
• Un perro recibe caricias al saltar encima de una persona.
• Recibe un aumento de sueldo por un trabajo bien hecho.

Estos ejemplos son de reforzadores primarios. Un reforzador primario es una recompensa que el receptor no debe aprender a que le guste. También hay reforzadores secundarios, que son acciones que el receptor debe aprender a que le gusten. Como ejemplos tenemos:

• Dejar de hacer presión con una correa que apriete cuando el animal deje de tirar.
• Un niño que deja de recibir reprimendas cuando ha ordenado su habitación.
• Una vaca que ya no recibe una descarga eléctrica (con un empujador eléctrico o «pila» para vacas) mientras siga avanzando.

Los reforzadores primarios y los secundarios son usados en el adiestramiento animal, además de en nuestra vida diaria.

Un término con el que debería estar familiarizado es el de «programas de refuerzo». Hay varios tipos de ellos:

• Un intervalo fijo: se dará un premio después de una cantidad fija de tiempo. Por ejemplo, cada dos o cada diez minutos.
• Un intervalo variable: se proporcionará una recompensa, pero el receptor no tiene control sobre cuándo le será entregada.
• Una relación fija: se dará un premio después de un número concreto de respuestas correctas.
• Una relación variable: se proporciona una recompensa cuando se da el mayor número de respuestas dentro de un conjunto específico de estímulos.
• Un intervalo aleatorio: no hay correlación entre el número de respuestas correctas y la recepción del premio.

Otro término con el que debería familiarizarse es el de «extinción». Esto sucede cuando un comportamiento no ha sido reforzado, languideciendo así el repertorio. Es una buena forma de deshacerse de una conducta sin tener que usar el castigo que, en sí mismo, podría potenciar un comportamiento si es la única forma en que un perro consigue que le presten atención. Un ejemplo de ello sería gritar al perro por ladrar, lo que potencia esta conducta, ya que el propietario «entra en el juego». Otro ejemplo consiste en empujar al perro por saltar encima de las personas. El perro es tocado, recibiendo así un refuerzo. Para extinguir estas conductas (ladrar y saltar encima de las personas), deberían ser ignoradas. Sí, ciertamente, es difícil ignorarlas, pero el que el perro aprenda que ninguna de ellas le aportará satisfacciones de ningún tipo, hará que, finalmente, estas conductas se extingan.

Skinner definió cuatro formas posibles de modificar un comportamiento: refuerzo positivo, refuerzo negativo, castigo positivo y castigo negativo. El refuerzo consiste en el uso o la retirada de un estímulo para incrementar la incidencia de una conducta. El castigo consiste en el uso o la retirada de un estímulo para reducir la incidencia de un comportamiento.

Su reacción ante un comportamiento dirá al perro si seguir o no con una conducta. Digamos que su perro está escarbando entre la basura. Para él, la recompensa consiste en que obtiene algo que comer, así que repetirá la conducta siempre que tenga la oportunidad. Sin embargo, puede hacer dos cosas para deshacerse de este comportamiento: puede eliminar la basura y colocarla en un lugar en el que el perro no pueda alcanzarla, o puede castigarle por este comportamiento introduciendo algo desagradable, como una esterilla eléctrica que le dé una descarga, de forma que sus pies sentirán una molestia cuando la pise. Por tanto, aprenderá a evitar la esterilla y el cubo de la basura.

Un reforzador secundario consistiría en librarse de la presión de la correa cuando el perro deja de tirar.

La forma, mediante el refuerzo positivo, de evitar que un perro escarbe en la basura consiste en desviar su atención, hacer que se siente y clicar/recompensarle.

Eliminar el cubo de la basura se considera un castigo negativo. Esto se da cuando algo que era gratificante para el perro es retirado, lo que reducirá la incidencia del comportamiento. La esterilla eléctrica se considera un castigo positivo. Esto sucede cuando se introduce algo desagradable durante la realización de la conducta que genera una molestia suficiente como para hacer que el perro deje de llevar a cabo ese comportamiento.

Hay otras formas de tratar con el cachorro que escarba en el cubo de la basura, y es mediante el refuerzo positivo o el negativo. Si quiere distraer la atención del perro del cubo de la basura, haga que en lugar de dirigirse al cubo se siente y dele un premio: de este modo le estará ofreciendo un refuerzo positivo. Si le pone una correa al perro y le da un tirón cada vez que el perro se acerque al cubo de la basura, se trataría de un refuerzo negativo. Existen dos tipos de refuerzo negativo: la evitación y la huida. En el caso de la evitación, el perro giraría, para apartarse del cubo de la basura, cuando esté en la habitación en que está el cubo, debido al miedo de que le peguen un tirón. En el caso de la huida, saldría corriendo de la habitación en cuanto viera el cubo de la basura.

¿Qué método cree que sería más efectivo para enseñar a su perro a mantenerse alejado del cubo de la basura? En realidad, una combinación de ambos. El uso de sólo un método podría provocar que el perro capte una idea equivocada o que usted le provoque mucho miedo. El tipo de condicionante que use dependerá, en gran medida, de la personalidad del animal, la situación en la que se lleve a cabo el comportamiento y cuáles sean los objetivos que se ha marcado para su mascota.

Hay varias cosas a tener en cuenta cuando use el condicionamiento operante para adiestrar a su mascota. En primer lugar, debe asegurarse de re-

compensar el comportamiento que desea. Por ejemplo, si su perro gruñe a alguien debido al miedo, lo último que debería hacer es cogerle y hablarle en un tono de voz reconfortante. Esto potenciaría el comportamiento de gruñir mediante el refuerzo positivo y potenciaría que el perro continuara con esta conducta. En lugar de ello, el castigo negativo resultaría más efectivo. Usando este método, no recibirá atenciones por sus gruñidos. En lugar de ello no le permitirá estar con usted. El castigo positivo también puede resultar más efectivo. Digamos que cuando el perro ladró, le echó usted un chorro de agua. El perro aprende que gruñir le reporta un chorro de agua en la cara en lugar de la recompensa que supone que le coja y le hable en un tono de voz agradable. Esto extinguirá este comportamiento.

Otra cosa que debe tener presente cuando use el refuerzo positivo es el tiempo. El tiempo lo es todo. Si recompensa a su mascota en el momento incorrecto, reforzará un comportamiento incorrecto. Por ejemplo: le pide al perro que se siente. Él se sienta y luego se levanta. Todavía no le ha enseñado a quedarse quieto y no le ha premiado por hacer lo que le ha pedido. Él no está seguro de qué es lo que tiene que hacer para conseguir el premio. Si la sincronización hubiera sido la correcta, le habríamos puenteado (haríamos una señal en el momento en que se sentara) y le daríamos la recompensa antes de que se levantara. De esta forma, relacionaría la acción de sentarse con su

Es raro el perro que no se ve motivado por la comida, aunque hay alguno que otro. La mayoría de los perros sienten un deseo poderoso por la comida y actuarán de modo que consigan una sabrosa recompensa.

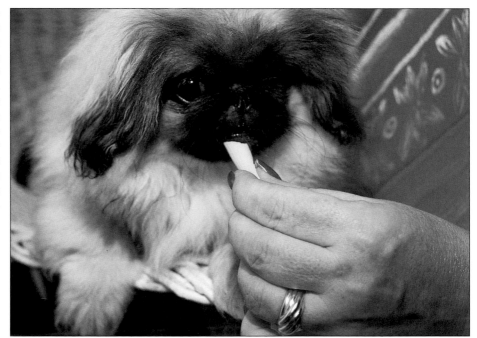

premio y la conducta se repetiría. De otra forma, relacionaría el levantarse con la recompensa y acabaría teniendo un perro que ha aprendido a no sentarse. El puente y la recompensa subsecuente deben darse en el preciso instante en que el perro haga lo que le ha pedido.

Otro hecho que debemos tener en cuenta es el valor de la recompensa. Los perros son distintos respecto a los valores relativos a lo que les motiva. Algunos están contentos con una caricia o palabras amables, mientras que otros necesitan un trocito de perrito caliente o de hígado. Deberá descubrir qué es lo que motiva a su perro antes de iniciar cualquier tipo de adiestra-

miento. Si a su perro le gustan algunas cosas, puede variar sus recompensas según lo bien que se comporte. Por ejemplo: le está enseñando a sentarse en la posición para iniciar el ejercicio de andar al pie. Si se sienta a su lado, pero no junto a su talón, recibirá un elogio verbal, pero no le dará una recompensa. Si se sienta un poco más cerca, a su lado, y mirando hacia delante, recibirá un trocito de galleta. A medida que aprenda que habrá mejores premios esperándole cuanto más cerca se siente, se sentará más erguido y en la posición correcta. Cuando consiga su objetivo, su premio consistirá en un trocito de perrito caliente o de hígado liofilizado. Su perro habrá aprendido a

El jugar todos con todos es una excelente manera de implicar a todos los miembros de la familia en el proceso del adiestramiento, ya que el perro pasará de una persona a la siguiente y realizará lo que le pidan.

conseguir un objetivo sin que haya tenido que forzarle. Sería similar al caso en que usted recibiera un buen aumento de sueldo en su trabajo por haber dedicado más horas de lo normal en comparación con un aumento normal por un desempeño corriente.

Uno de los problemas del adiestramiento mediante este método es que el animal puede aprender a asociar la re-

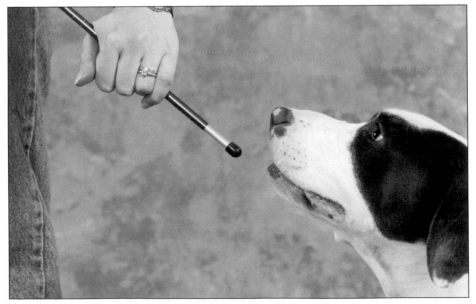

Enseñándole a fijar su atención en un objeto con una vara-objetivo.

Este esperanzado pedigüeño parece preguntar: «¿Me toca una recompensa ahora?».

La duración de la atención de los cachorros es limitada y es fácil que se distraigan. Necesitará una recompensa muy valiosa para el cachorro para mantener su atención centrada en la lección. Incluso así, en el caso de los cachorros sólo debería trabajar con varias lecciones de corta duración.

compensa sólo con su adiestrador. Sólo escuchará o trabajará para esta persona. Para que el animal responda a toda la familia, todos deberán trabajar con él. De esta forma aprenderá a escucharles a todos, ya que cualquier miembro de la familia puede darle recompensas. Sin embargo, al enseñarle algo nuevo y complejo, lo mejor será que sólo una persona sea el adiestrador clave para así no confundir al perro. Una vez haya aprendido el comportamiento, podrán participar otros miembros.

Si su perro es recompensado con comida puede acabar saciado, y una vez saciado ya no dispondrá de una motivación para trabajar. Para evitarlo, los premios deben consistir en pedacitos de comida muy pequeños, aunque también puede aprender a actuar bien a cambio de sus comidas normales. De este modo podrá mantener sus hábitos alimenticios correctos y su peso, al

tiempo que «trabaja por su manutención», al igual que haría en la naturaleza. Esto sería tan similar a sus instintos naturales que el animal se sentiría muy satisfecho con su proceso de aprendizaje.

Algunos perros se cansan del mismo tipo de recompensa en forma de comida, así que sería buena idea variar el tipo de alimentos usados. Si usa hígado liofilizado, pruebe con sabores distintos. Si usa perritos calientes, dele marcas distintas o sustitúyalos por un trocito de tocino de vez en cuando. Las palomitas de maíz suelen ser muy apreciadas, al igual que los pedacitos de pizza. Al igual que sucede con cualquier recompensa, suminístrelas con moderación y asegúrese de escoger algo que no irrite el aparato digestivo de su perro. Un intestino inflamado puede hacer que las conductas conseguidas se extingan, ya que el perro podría aprender que cuanto mejor haga las cosas peor se va a sentir.

Para controlar cuándo trabaja su perro, use sólo el refuerzo positivo cuando le enseñe un nuevo comportamiento

durante una sesión de adiestramiento, ya que si no, el animal estará molestándole constantemente llevando a cabo comportamientos hasta que reciba su premio. Al principio, las conductas serán las que ha aprendido previamente, pero cuando vea que no es premiado por llevarlas a cabo, dichos comportamientos se transformarán en negativos que le asegurarán atenciones de algún tipo.

Durante la vida diaria con su perro, existen posibilidades de crear lo que se conoce con el nombre de «castigadores negativos secundarios». Tendemos a hacerlo inadvertidamente, y debemos esforzarnos para evitar estas situaciones o para transformarlas en algo positivo. Un ejemplo de un castigador negativo secundario consiste en llamar a su perro para que acuda hacia usted, alejándole así de algo con lo que estaba disfrutando, como un grupo de cachorros con el que estaba jugando o dando por finalizado un divertido juego de cobro. Aunque en realidad no hay forma de evitar estas situaciones, deberá identificarlas e intentar transformarlas en algo positivo. Así, la próxima vez que llame a su perro para que vuelva a casa después de haber estado escarbando en el jardín, piense en ofrecerle algo que pueda ser más apreciado, como su comida o hacer algunos trucos a cambios de unas golosinas. Incluso una caricia en el vientre sería algo genial.

El castigo positivo también puede resultar abusivo si no se usa correctamente. Agrupar un castigo positivo con un castigador positivo secundario

Para una raza de cobro, un juego en el que tenga que ir a buscar algo y traérselo es muy gratificante.

sería más humano y enseñará al perro a comportarse tras oír la palabra desencadenante (por ejemplo, «No») acompañada de un castigo. Un ejemplo consiste en decir «No» al tiempo que el animal recibe un chorro de agua en la cara. El perro aprende que el «No» coincidirá con el castigo, reduciendo así su mal comportamiento tan pronto como, simplemente, oiga la palabra. Esta forma de castigo es una

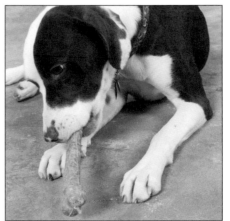

Dar al perro un juguete para mordisquear con el que jugar es una forma positiva de finalizar una sesión de adiestramiento.

forma muy humana de corregir a su perro, aunque existen algunas escuelas de pensamiento que se esfuerzan por no castigar en absoluto, en cuyo caso, el comportamiento no deseado puede extinguirse o no.

Algunos perros aprenden que aunque un comportamiento concreto no les hace obtener una recompensa de su propietario, la conducta en sí es gratificante. Escarbar es autogratificante, al igual que lo es obtener restos de comida del cubo de la basura. Ladrar es una forma divertida de liberar energía y mordisquear es excelente para aliviar la ansiedad.

Los castigos también pueden ser asociados con una persona concreta. Para que funcionen, deben ser usados por todos los miembros de la familia. Si el perro tiene tendencia a hacer algo cuando no hay nadie cerca, debería ser metido en una zona en la que no pueda llevar a cabo esta conducta cuando no haya nadie para vigilarle. De esta forma, será condicionado a no comportarse de esa manera en cualquier momento en que tenga acceso al medio de llevar a cabo el comportamiento. Un ejemplo consistiría en el del perro que se sube a los muebles. Siempre que haya alguien cerca que pueda ver que el perro se ha subido a un mueble, le dará una reprimenda por haberlo hecho mediante un castigo positivo, como un chorro de agua o un tirón de la correa, junto con un castigo secundario, como la palabra «No» o «Fuera». Al final aprenderá a evitar los muebles o a bajarse

Escarbar es un ejemplo de un comportamiento autogratificante.

de ellos cuando usemos el castigo secundario. No obstante, cuando no haya nadie cerca para administrar el castigo, se subirá a los muebles. Para condicionarle de modo que abandone este comportamiento, no debería tener acceso a los muebles cuando nadie esté cerca para vigilarle. Al final, el hábito se extinguirá.

También existe otro posible resultado ante la conducta de un animal, y consiste en no responder. No hay una señal de premio («Buen perro»), ni un castigo positivo secundario («No»), ni un correctivo. A esto se le considera como la señal de «sigue haciendo lo que hacías», también llamada «señal de no-recompensa». Para los perros que saben bien cómo seguir llevando a cabo conductas para así recibir un premio, esta falta de señal hará que sigan probando con comportamientos hasta hacer algo correcto. Se puede pronunciar una palabra especial que coincida con esta falta de señal: algunos adiestradores usan «Nanay», o «Incorrecto», o «Reintenta». Esto hará que el perro vuelva a intentarlo. Sin embargo, esto sólo funcionará con aquellos que han sido adiestrados mediante el refuerzo positivo y que tienen un lapso de atención que evitará la extinción de sus actuaciones.

Los animales pueden sufrir daños físicos y mentales debido a unos castigos y refuerzos aplicados incorrectamente. El uso correcto de estas técnicas evitará que acose o maltrate a su mascota. Esté seguro de tener claros los

Si no hay nadie cerca que le detenga, un perro al que le guste saltar encima de los muebles se instalará en el sofá para pasar un rato.

procedimientos antes de iniciar el proceso de adiestramiento. Inténtalo con un miembro de su familia o con un amigo. El juego de «pica-pared» o el de «caliente-frío» son una buena forma de practicar. Las cosas en las que debe pensar al aplicar las técnicas son: ¿Funciona? Si no es así: ¿por qué? ¿No calculé bien los tiempos? Los perros son muy dados a perdonar, pero una vez hayan aprendido un comportamiento, es mucho más difícil extinguirlo que haberlo enseñado bien desde el primer momento.

Distintas escuelas de pensamiento

El adiestramiento mediante el refuerzo positivo puede llevarse a cabo de varias maneras. Puede tentar a su perro para que adopte la posición correcta y puentear/premiarle tan pronto como consiga lo que quiere de él, puede capturar el comportamiento por casualidad, o puede esperar a que haga algo cercano al objetivo y moldear la conducta hasta transformarla en el objetivo final. El método (o la combinación) que use dependerá de qué le esté enseñando, del nivel de adiestramiento y de cuánto tiempo disponga para conseguir el objetivo.

Las tentaciones pueden llevarse a cabo con cualquier tipo de reforzador positivo: comida, elogios, caricias o un juguete muy apreciado. Se pueden usar distintas tentaciones en diferentes situaciones. Los elogios son un buen reforzador si el perro ha hecho algo bien pero no ha mejorado la conducta, o si el perro está en proceso de actuar bien. Los elogios animan al perro a continuar con la respuesta adecuada. El tacto es una gran forma de recompensar a los perros. Les encanta que les acaricien y les rasquen. Forma parte del es-

Las caricias son una forma genial de elogiar y reforzar un buen comportamiento.

ser que pueda encontrar otra motivación valiosa. He tenido a varios perros que prefieren una pelota de tenis a la comida. Inténtelo.

Para el siguiente método (el de capturar una conducta), necesitará tener paciencia y calcular muy bien los tiempos. Deberá situar a su perro en un lugar o situación en la que el comportamiento que tiene como objetivo suceda en un momento u otro. Un ejemplo de la captura de una conducta para conseguir tener un perro de cobro consiste en puentear/premiar al animal cuando esté jugando con su juguete. En el momento en que coja su juguete, deberá capturar este comportamiento, así que le puenteará/recompensará en ese momento. Esto refuerza el deseo de su perro por coger su pelota.

Los juguetes pueden usarse a modo de tentaciones para hacer que un perro lleve a cabo un determinado comportamiento.

tablecimiento de vínculos de la manada y es una muestra de cariño. Para los perros a los que no les importe lo delicioso que pueda ser un alimento, las caricias pueden usarse como reforzador primario. A algunos perros les encanta una pelota, una soga o un juguete de peluche más que un trozo de comida. La acción de proporcionar al perro este juguete para reforzar un comportamiento concreto es gratificante y hará que el perro siga trabajando. El alimento, no obstante, es la forma más fácil de reforzar el comportamiento correcto. La mayoría de los perros tiene una gran apetencia por la comida y será cuestión de encontrar los alimentos que les motiven. La educación, a través del refuerzo positivo, de los perros sin apetencia por el alimento será más difícil, a no

Aprenderá, mediante la prueba y el error, qué es lo que su perro considera una recompensa valiosa y qué no le importa tanto. No hay duda de que este perro disfruta pasando un rato con su juguete y con los juegos en los que tiene que ir a buscar algo y traérselo.

Cuando esté moldeando el comportamiento del cobro, el momento en que el perro le devuelva el juguete en la mano será marcado con un *click*.

Cuando esté moldeando el comportamiento del cobro, el momento en que el perro le devuelva el juguete en la mano será marcado con un *click*.

A continuación viene el moldeo del comportamiento. Esto se lleva a cabo con pasos pequeños. El término es el de «aproximación sucesiva». A cada reacción sucesiva exitosa, «adelantará el pago» para pedirle una pequeña respuesta más y así conseguir el objetivo. Capturó el que el perro cogiera la pelota y ahora quiere enseñarle a traérsela. Le puenteará/recompensará por cada mejora. Después de que haya cogido la pelota le premiará por mantenerla cogida. Luego le puenteará/premiará porque la mantenga en la boca y se la acerque un trecho. Por cada incremento en el trecho que se la acerque, le puenteará/recompensará, hasta que alcance el objetivo final de traérsela y colocarla en su mano. Para conseguir cualquier tipo de captura o moldeo, primero deberá enseñar a

su perro que el ruido o la visión del «puente» supondrá la llegada de un premio. Esto se puede hacer de dos formas: se le puede tentar para que centre su atención en un objeto o puede, simplemente, hacer corresponder el ruido/visión del «puente» con el hecho de darle la recompensa. Karen Pryor, una de las pioneras del condicionamiento operante canino, y autora del libro *Don't Shoot the Dog* («No lo mates… enséñale») y de muchas otras obras fundamentales del adiestramiento canino ha llamado al proceso de inicio «cargar su *clicker*» (significa hacer que el perro asocie el *click* con una recompensa). El *clicker* es un medio para el puenteo de una conducta antes de que el perro reciba el premio. El sonido del aparato es característico y nos ofrece un medio

El paso final para un cobro completo es que el perro deje ir y suelte el juguete en su mano.

Puede hacer que su perro adopte la postura de sentado tentándole para que se coloque en esta postura.

mente qué es lo que quiere. Una vez asocie el *click* con la obtención de su recompensa, empezará a intentar conductas para así jugar al juego. Incluso aunque deba trabajar con el cálculo de los tiempos, su perro aprenderá. Los perros perdonan con facilidad y se les puede enseñar de muchas formas. Sin embargo, antes de empezar a usar el *clicker* con su perro quizás quiera practicar usando el *clicker* para puentear el comportamiento de un amigo o un familiar. Le irá mejor si enseña a su perro sin confundirle: aprenderá más rápidamente.

Así pues: ¡empecemos! Lleve a su perro a un lugar tranquilo donde no haya distracciones. Asegúrese de que no haya comido nada desde hace dos horas. Coloque el pulgar sobre la parte móvil del *clicker* y rodéelo con la mano para que no se le pueda caer. Tenga unas pocas golosinas pequeñas en la otra mano. Haga sonar el *clicker* una vez

constante para señalar una respuesta deseada.

Si su cálculo de los tiempos es impecable, su mascota aprenderá rápida-

Se tienta al perro para que centre su atención en un objeto con una recompensa en forma de comida.

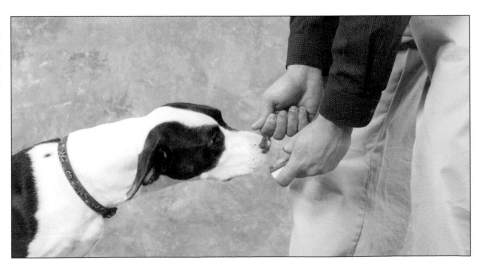

y dé a su perro un premio. Repítalo tres veces (ésta es la fase de «carga»).

Llegados a este punto, su perro empezará a identificar el *click* con recibir una recompensa. Comenzará a mirarle y se emocionará mucho cada vez que oiga el *click*. Si no ha relacionado este ruido con el premio, repita este ejercicio tres veces más. A algunos perros les lleva un poco más de tiempo. Si no responde en absoluto, quizás quiera intentarlo con otro tipo de recompensa. El hecho de que el perro no responda significa que el premio que está usando no tiene un valor lo suficientemente alto para ganarse la atención de su animal.

Cuando repita este ejercicio, no *clique* a un ritmo constante (es decir, no deje que pase el mismo intervalo de tiempo entre cada *click*). Varíe los tiempos para que su perro no aprenda otro patrón que no sea el de relacionar el *click* con la recompensa resultante. Asegúrese de no premiar ningún comportamiento no solicitado.

Ahora llegamos a la parte en la cual tentará a su perro para que lleve a cabo la respuesta deseada o, simplemente, esperará a que ésta suceda. Esto dependerá de cuánto tiempo quiera dedicarle y del comportamiento que le esté enseñando. Los puristas del adiestramiento mediante el refuerzo positivo quizás escojan esperar hasta que suceda algo que se aproxime bastante al objetivo. Moldearán gradualmente una conducta hasta que, finalmente, sea la que quieren. Esto está muy bien si trabaja con un animal que no está acostumbrado a que le toquen o le hablen, o si se trata de un

animal al que en realidad no le importen mucho sus estímulos, sino la obtención de la recompensa. Se trata de una forma de enseñar carente de emociones, como la Caja de Skinner. Este método también se puede usar al trabajar con una conducta avanzada con un perro que ya conoce los aspectos básicos y con el sistema de click/recompensa. Sin embargo, a la mayoría de los perros les encantan las caricias y los elogios, así que deberá añadir más ingredientes a este cóctel para reforzar sus conductas.

Los mamíferos marinos y otros animales exóticos tienden a ser adiestrados mediante este sistema. No están acostumbrados a la intervención humana y les dan igual los sonidos y movimientos que hacemos. Todo lo que quieren es

Dos tipos de clicker: el de botón (ARRIBA) y el de caja (ABAJO).

comida. Con el tiempo y con mucha paciencia se les acaban enseñando las señales asociadas con un comportamiento
deseado. Enseñarles algo como centrar
su atención en un objeto o una señal como la de «salir» puede llevar días o meses. El adiestrador debe esperar a que
suceda algo parecido al objetivo deseado para puntearlo y recompensarlo.
Mediante la aproximación sucesiva, se
enseña al animal exótico a enfocar su
atención y así aprender conductas más
avanzadas. Una vez que este animal conozca la rutina, aprenderá cosas a un
ritmo más rápido, pero el periodo inicial del adiestramiento lleva mucho
tiempo. Éstos son los métodos que usa-
ba cuando trabajaba con focas, osos polares y lobos grises en el zoo. No podían
ser tocados físicamente, y el adiestrador
no podía estar muy cerca de ellos mien-

tras les enseñaba. Cuando trabajaba con
los osos polares, estaba fuera de su habi-
táculo y separada de ellos por unos ba-
rrotes de acero de 5 cm de diámetro.
Estos animales son conocidos por su
gran motivación o instinto por las presas, así que era mejor que no usara recompensas en forma de caricias y,
además, poco podía importarles mi voz.
Prefería capturar y moldear las conductas. Quizá llevara tiempo, pero era mucho más seguro.

A los perros les encanta que les toquen y el sonido de una voz agradable,
y la mayoría tienen una gran motivación por las presas, lo que les proporciona un incentivo para ganarse la
comida o un premio en forma de un juguete. El adiestramiento con *clicker* funciona bien al moldear conductas y para
premiar comportamientos aprendidos.

Los aspectos fundamentales del adiestramiento básico le permitirán asentar los cimientos para los niveles más avanzados del adiestramiento, como el de las competiciones de obediencia.

El perro se está comportando educadamente para que le examinen durante una exposición de belleza canina.

Se trata de un medio de enseñanza, y no de un apoyo que vayamos a usar de por vida. A medida que los perros aprenden reciben reforzadores secundarios, como sus elogios y caricias. Éstos pasan a ser recompensas, como el *click* y la golosina iniciales. Aunque los animales exóticos deben recibir siempre un premio después de llevar a cabo una serie concreta de comportamientos, esto puede irse retirando en el caso de los perros, para que así puedan usar sus comportamientos aprendidos en variedad de situaciones, como en las pruebas de

Aprender a desempeñarse por el circuito de la Agility lleva tiempo y práctica, pero ¡es tan divertido!

Un arnés para la cabeza es un medio de control no severo cuando el hacer que el perro fije la atención en un objeto no funciona. Debería reposar cómodamente sobre el rostro del perro sin impedir los movimientos de su mandíbula.

cación hasta que el perro haya aprendido la conducta. Los perros no sólo aprenden cosas nuevas con entre dos y cinco repeticiones, sino que, además, esto le mantendrá en el buen camino de lo que les esté enseñando. He visto a algunos perros identificar el comportamiento, simplemente dándoles la orden, tras sólo tres (o menos) repeticiones del ejercicio.

Los perros pueden comprender muchos tipos de contribuciones. Un adiestrador puede usar el refuerzo positivo o el negativo, además del castigo positivo o negativo. Aunque los adiestradores más tradicionalistas adoptarán el castigo positivo (p. ej. el uso de un correctivo brusco, la estimulación eléctrica, el collar de púas o alguna otra cosa desagradable), un purista del refuerzo positivo que conozca el uso del condicionamiento operante y del moldeo del comportamiento usará el refuerzo positivo y el castigo negativo, provocando extinciones. Los perros aprenderán con cualquiera de los dos métodos. La diferencia estribará en su actitud cuando se hayan alcanzado los objetivos. Aunque algunos perros tienen tal capacidad de perdonar que no importará la forma en que sean adiestrados, seguirán disfrutando mientras trabajan, mientras que hay otros que dirán basta y se acobardarán, o permanecerán en una postura de sumisión activa mientras trabajan, mostrando así que son adiestrados por la fuerza o que se les maltrata mientras se les está enseñando.

obediencia, la agility y en la búsqueda y rescate. A veces, este sistema de puente y recompensa puede usarse, a modo de herramienta de reorientación, para corregir malos comportamientos. Sin embargo, y gracias a las fuertes reacciones instintivas del perro, no lo pueden curar todo. Hay algunas situaciones en las que la comida no es un motivador suficiente para que un perro deje de llevar a cabo una conducta.

Por mi experiencia, me he encontrado con perros que aprenden más rápidamente si asocia una tentación con el uso de un puente/recompensa. Aunque muchos adiestradores evitan relacionar una indicación con la acción y no enseñan la indicación hasta que se ha aprendido el comportamiento, generalmente, yo los enseño al mismo tiempo. El perro también aprenderá la palabra y/o señal visual que sirve como indicación y que está relacionada con el comportamiento mientras le tienta a adoptar la posición. No hay necesidad de evitar usar la indi-

El tipo de adiestramiento usado depende, en gran medida, del perro, de los conocimientos del adiestrador y de la situación. El adiestramiento con el refuerzo positivo es un método útil para comenzar con un cachorro o con un perro tímido, uno amistoso o uno que se deje llevar mucho por sus instintos. Quizás no sea de utilidad si está empezando con un perro agresivo o dominante. Aunque este tipo de perro puede responder bien en algunas situaciones, como en una zona tranquila y vallada sin distracciones, quizás le den igual la comida, los juguetes, las caricias o la voz si se ve expuesto a una distracción, a un desconocido o a otro animal. Si su perro muestra estas tendencias, debería consultar con un adiestrador profesional. El uso incorrecto del refuerzo positivo con este tipo de perro puede empeorar los problemas en lugar de solucionarlos. Un adiestrador profesional sabrá cómo moldear correctamente el comportamiento de este perro.

De forma similar, una vez que su perro esté adiestrado mediante el uso del refuerzo positivo, deberá practicar en lugares que no sean la tranquila zona de entrenamiento. Las nuevas distracciones representarán un reto. Otro perro puede resultar más deseable que la comida o el premio en forma de un juguete. Saludar a la persona que pasea por la acera también puede representar un premio más valorado. En estos casos, deberá aplicar una técnica de castigo positivo para volver a ganarse la atención de su perro. Esto no significa que tenga que maltratarle. Algo tan sencillo como darse la vuelta para redi-

rigir la atención de su perro, o el uso de la palabra reforzadora secundaria «No» puede servir. Si no es así, deberá usar un arnés para la cabeza u otro utensilio para el adiestramiento para aplicar el castigo positivo, ya que no hacer nada no extinguirá ese comportamiento.

Tenga la mentalidad abierta a cualquier cosa que necesite su perro. No existe una única forma de adiestrar. Use cualquier cosa que funcione. Una vez que su perro comprenda la rutina, puede ir abandonando las tentaciones y convertir las recompensas fijas en variables. Sin embargo, comience siempre por el principio. En el caso del adiestramiento mediante el refuerzo positivo, no se puede empezar a medio camino. Su perro debe entender, en primer lugar, la relación entre el puente y la recompensa, y luego aprenderá cómo responder a sus indicaciones.

La correa se une al aro que está debajo de la barbilla.

Enseñarle comportamientos de cerca y de lejos

Ya he hablado brevemente de centrar la atención en un objeto, y aquí lo explicaré en mayor detalle. Mediante este método, el animal aprende a fijar su atención para así recibir su recompensa. Gary Wilkes, escritor, conferenciante, adiestrador y preparador de adiestradores describe la fijación de la atención en un objeto como «un proceso de desencadenamiento de comportamientos instintivos mediante el control del foco de atención de un perro». Se trata de un ejercicio fundamental, lo que significa que no se puede adiestrar mediante el uso del adiestramiento positivo sin usar técnicas de enfoque de la atención de algún tipo. Puede establecerse una analogía con el aprender a sumar y restar antes de aprender a

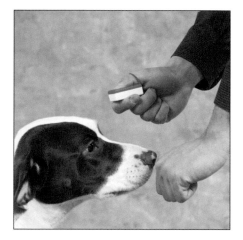

multiplicar y dividir, o al hacer los cimientos de una casa antes de construir las paredes. Debe contar con las bases antes de poder construir sobre ellas.

El enfoque de la atención en un objeto puede conseguirse mediante las tentaciones o con el moldeo. Sea como fuere, su perro debe aprender a centrar su atención en un objeto para que el adiestramiento mediante el refuerzo positivo pueda funcionar. Primero se enseña con el perro cerca de usted y luego, con un bastón-objetivo o con alguna otra cosa a una distancia cada vez mayor.

Empiezo a hacer que el perro centre su atención en mi mano. Sujeto una recompensa en ella para que el perro acuda, de forma natural, debido al olor del

alimento. Tan pronto como toca mi mano con la trufa, le puenteo con el *clicker* y abro la mano para darle el premio. Al cabo de unas pocas repeticiones, el perro habrá aprendido a enfocar su atención en mi mano. Puedo mover mi mano de un lado a otro o de arriba abajo y el perro la seguirá, la tocará y será recompensado. Mientras le enseño a andar al pie, a sentarse o cualquier otra orden que obedezca cerca de mí, seguirá mi mano-objetivo y adoptará la postura solicitada para obtener su golosina.

El prestar atención a un objeto deberá usarse al enseñar a su perro a escuchar desde una cierta distancia. Digamos que quiere que vaya a un lugar concreto y se siente, que juegue a cobrar un juguete, que encuentre algo o que salte por encima de un obstáculo. El enfoque de la atención a una cierta distancia deberá llevarse a cabo con un bastón-objetivo y/o un objeto, ya que no podrá usar su mano a distancia. No podrá reforzar ni moldear de inmediato el comportamiento a distancia de su perro sin antes enseñarle a enfocar su atención en algo que no esté unido a usted. Además, el centrar la atención en un objeto enseñará a su perro a fijarse en algo sin tener que buscar una recompensa inmediata. El puente (o *click*) será un reforzador suficiente para potenciar y moldear su conducta.

Gary Wilkes ha diseñado varios utensilios geniales para que los perros centren su atención en ellos, como la vara-objetivo plegable de aleación de aluminio y el «Alley Oop», una gran herramienta para enfocar la atención

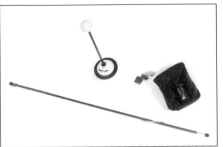

Utensilios para enseñar a centrar la atención en un objeto de cerca y de lejos: el Alley Oop de Gary Wilkes, una vara-objetivo y una bolsita llena de recompensas.

con una base amarilla, un bastón negro y una pelota amarilla encima. Los perros pueden ver fácilmente el color amarillo. El *Alley Oop* puede colocarse en cualquier parte y no se caerá, ya que su base funciona de forma muy parecida a la de los tentetiesos: es el *Alley Oop*, que se balanceará pero no caerá cuando su perro entusiasta lo empuje. Karen Pryor ha diseñado su propia versión de la vara-objetivo. Es telescópica y puede medir entre 12 cm y unos pocos metros, y dispone de una pelota amarilla en el extremo para que el perro fije su atención en ella. Terry Ryan, autora de *Tool Box for Remodeling Your Problem Dog* («Caja de herramientas para la remodelación de su perro problemático») también ha diseñado un

El bastón-objetivo de Karen Pryor, experta en adiestramiento con *clicker*.

bastón parecido. Puede comprar estos utensilios por Internet o puede fabricar el suyo propio con una tubería de PVC de aproximadamente 1 cm de diámetro con algo de látex líquido negro o cinta en un extremo.

Probablemente esté intentando sostener todas estas cosas en las manos y preguntándose cómo va a sujetar las recompensas, un *clicker*, un bastón-objetivo y, posiblemente, una correa. ¿No nació con cuatro manos? No se preocupe, existe una técnica para solucionar este aprieto malabarista.

Usando la mano dominante (la izquierda, si es zurdo como yo, o la derecha si es diestro como la mayoría), rodee el bastón-objetivo con el pulgar y el índice y coloque el *clicker* entre el bastón y estos dedos, situándolo de forma que el pulgar quede sobre el punto exacto para hacerlo sonar. Gire la muñeca de modo que el bastón-objetivo apunte hacia abajo, hacia el perro. Debería llevar los premios en una bolsita en la que sea fácil introducir la mano. Llevará la correa en la mano que le queda libre. No obstante, si está adiestran-

do al perro con el bastón-objetivo, esto implicará que lo más probable es que haya completado la obediencia básica y que ahora le esté adiestrando sin la correa puesta. Para todos los ejercicios sin la correa puesta, debe asegurarse de estar en el interior de un recinto cerrado del que su perro no pueda escapar y en el que no se pueda distraer. Se recomienda una zona cercada independientemente del nivel de adiestramiento de su perro. Seguir esta política le dejará una mano libre con la que podrá coger una golosina en lugar de la correa: ¡y ya está!, ¡todo esto con sólo dos manos!

Algunos perros pueden asustarse con un bastón-objetivo que saquemos de repente. Esto no implica, necesariamente, que les hayan pegado con un palo, sino que no están familiarizados con ellos. Los perros no sociabilizados no están asustados de otros perros u otras personas por miedo a ser mordidos o a que les peguen, sino que más bien están temerosos debido a una falta de exposición. Necesitará acostumbrar a su perro poco a poco al aparato-objetivo. Haga lo siguiente:

1. Pose en el suelo el extremo del bastón-objetivo y coloque un poco de comida cerca de él. Mientras su perro investiga, haga sonar el *clicker* y deje que su perro se coma la golosina.

2. Deje la comida cada vez más cerca del bastón-objetivo (modelando así a su perro para que se acer-

Forma de sujetar el *clicker* y el bastón-objetivo en la misma mano para que la otra le quede libre para dar premios.

que cada vez más al bastón-objetivo). Haga *click* cada vez que el animal alcance el premio.

3. Coloque la recompensa directamente sobre el extremo del bastón-objetivo, en el que quiere que su perro fije la atención. Una vez más, haga sonar el *clicker* cuando lo toque.

4. Eleve ligeramente el extremo del bastón-objetivo del suelo. Cuando su perro investigue y olisquee la punta del bastón, haga sonar el *clicker* y dele el premio.

5. Con cada ejercicio sucesivo, vaya elevando gradualmente el bastón a mayor altura, clicando y recompensando por cada respuesta correcta.

Otra forma de acostumbrar a su perro al bastón es plegándolo (o deslizándolo para que quede corto) y haciendo que sólo sobresalga un trocito de su mano. Guíe a su perro para que fije su atención en su mano. Tan pronto como le toque la mano, haga *click* y dele su premio. La próxima vez, asegúrese de que su trufa contacte con el bastón. Al tiempo que vaya aprendiendo que el bastón es el lugar sobre el que quiere que centre su atención, puede empezar a hacerlo asomar más y más de su mano y a alargarlo con cada petición sucesiva lo que, a su vez, enseñará a su perro a centrar la atención en el extremo del bastón en lugar de en su mano. Puede comprobar su respuesta al bastón desplazándolo de un lado a otro y hacia arriba y abajo. Cada vez que su perro toque el extremo del bastón, haga sonar el *click* y prémiele.

Tendrá a mano su bolsita con premios y su *clicker* durante todas las sesiones de adiestramiento.

Para enseñarle a fijar su atención en el extremo de una vara, coloque dicho extremo sobre o muy cerca de una golosina.

Si en cualquier momento su perro da una respuesta incorrecta, como acudir hacia usted por la comida u olisquear el suelo, retire el bastón objetivo y dígale «Mal» o «Fallo» en un tono de voz neutro. Usted quiere que el perro siga intentándolo, así que no deberá usar un tono de voz grave, que daría a entender que está haciendo algo mal. En lugar de ello, quiere usar la palabra como una indicación de extinción, para así eliminar su respuesta incorrecta y redirigirle hacia la respuesta adecuada. Gary Wilkes describe este tono de voz como «informativo, pero no desalentador».

Ahora que su perro toca el bastón-objetivo, puede enseñarle a tocar otros objetos al ordenárselo. Coja algo, como un juguete concreto, el *Alley Oop* o un punto concreto de

Empiece mostrando sólo una parte de la longitud del bastón-objetivo de modo que el extremo siga estando cerca de su mano.

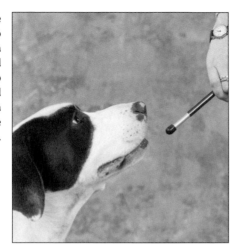

A medida que su perro aprenda a centrar su atención en el extremo de la vara, vaya incrementando gradualmente la longitud de la misma.

Al final podrá mostrarle toda la longitud de la vara.

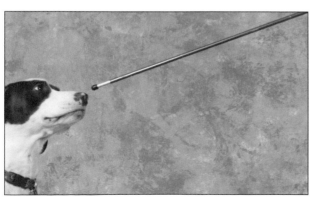

una valla. Coloque el extremo del bastón sobre el lugar o el objeto y dele la orden de «Toca». Como su perro ya ha aprendido a tocar la punta de la vara, independientemente de dónde esté situada, irá a tocarla. Cuando lo haga, estará tocando tanto el objetivo escogido como el bastón. Haga sonar el *clicker* y recompénsele cuando lo haga. Asegúrese de añadir la palabra «Bien» o «Sí» cuando lo haga correctamente. Recuerde que esta palabra de refuerzo es un reforzador secundario que será usado durante toda su vida para señalar un comportamiento correcto, mientras que el *clicker* irá dejando de usarse. Es muy importante emparejar esta palabra con una respuesta positiva.

Tras haber repetido este ejercicio entre ocho y diez veces, su perro habrá sido condicionado para acercarse al objeto al que está señalando. A continuación, dé un paso hacia atrás y tenga el bastón escondido de la vista del perro mientras dice «Toca». Su perro no podrá ver el bastón-objetivo, pero habrá sido condicionado para acercarse al objeto en el que previamente le había hecho centrar la atención con la vara. Irá hacia el objeto. Tan pronto como se dirija hacia él, haga *click* y recompénsele. Con cada incremento al acercarse al objeto, clique y prémiele. Cuando el perro toque el objeto, asegúrese de celebrar muy ostensiblemente su respuesta con un «¡Sí!» alegre, al tiempo que *clica* y le premia. Su perro habrá aprendido a centrar su atención en un objeto que no es el bastón-objetivo y a una cierta distancia de usted. Puede enseñarle a centrar su atención en cualquier cosa, incrementando gradualmente la distancia con cada éxito. No sólo habrá enseñado a su perro a centrar su atención, sino que también se habrá enseñado a sí mismo a moldear un comportamiento.

ARRIBA:
La doble fijación de la atención es un medio para modificar el objeto al que el perro deberá prestar atención: por ejemplo, pasarla de su mano al *Alley Oop*.

IZQUIERDA:
Una toma de contacto con el *Alley Oop* será positiva cuando esté empezando a enseñar al perro a fijar su atención en él.

«¿Qué viene a continuación?». Los métodos de adiestramiento positivo darán lugar a un perro que disfrutará con sus lecciones y que tendrá ilusión por aprender.

Modelo del comportamiento

Una guía para conseguir lo que quiera

Si ha tenido éxito enseñando a su perro a centrar su atención en un objeto, ya habrá aprendido los aspectos básicos del moldeo del comportamiento. Las palabras clave son «aproximación sucesiva». Con cada éxito sucesivo, se incrementan los criterios. Cuando empezó a enseñar a su perro a fijar su atención en un objeto, comenzó a emparejar una recompensa con un *click*. O quizá empezó a tentarle para que adoptara una posición, puenteando con un *click* o un elogio, y dándole luego la golosina. Desplazó el objetivo y su perro lo siguió, y recibió el «puente» y la recompensa. Gradualmente, le enseñó a centrar su atención en otro objeto, primero de cerca y luego a una cierta distancia.

Karen Pryor ha esbozado las «Diez leyes del moldeo» de un comportamiento. Seguir este código le ayudará a enseñar a su perro cualquier cosa mediante el refuerzo positivo.

1. Eleve los criterios en incrementos lo suficientemente pequeños como para que el animal tenga una posibilidad real de obtener un refuerzo.

Para enseñar al perro a centrar su atención en un objeto, empezó emparejando el alimento con el tocar el objetivo. Para incrementar la dificultad, apartó un poco el objetivo del perro.

Cada vez que el animal cumplía con éxito, incrementaba la distancia o cambiaba la dirección. Enseñó a su perro a fijar su atención en un objeto con incrementos lo suficientemente pequeños como para asegurarse de que tendría éxito.

2. Adiéstrele en un aspecto concreto de cualquier conducta cada vez. No intente moldear dos criterios a la vez.

Primero enseñó a su perro a fijar la atención en la vara antes de enseñarle

Siguiendo el premio que el adiestrador tiene en la mano, el perro es tentado para adoptar la postura de «sentado».

Centrando la atención del perro en la mano mientras se le enseña la postura de «sentado» de cara al adiestrador.

a fijarla en otro objeto. No lograría el éxito si intentara llevar ambas cosas a cabo al mismo tiempo. Habría confundido a su perro.

3. Durante el moldeo, sitúe el nivel actual de respuesta en un programa de relación variable de refuerzo antes de añadir o incrementar la dificultad de los criterios.

Para asegurarse de que su perro sabe tocar el objetivo, haga que lo toque varias veces (y clique) antes de darle la recompensa.

4. Al introducir un nuevo criterio o aspecto de la habilidad propia del comportamiento, relaje temporalmente los antiguos.

Si enseñó primero a su perro a centrar su atención en su mano y luego quiere enseñarle a centrarla en el bastón, deberá reducir o relajar el objetivo que supone su mano reforzándole sólo cuando toque el bastón. No es necesario que le dé una reprimenda si toca su mano, pero no refuerce esta acción. Tiene que averiguar la respuesta que se espera de él, y esto puede conllevar un periodo de prueba y error.

5. Vaya siempre por delante de su perro. Planee el programa de moldeo por completo, de forma que si el perro hace unos progresos repentinos, sepa qué es lo que deberá reforzar a continuación.

Al enseñar a su perro a centrar su atención en el bastón, incrementará gradualmente el criterio, pasando de colocar la golosina directamente sobre el extremo del bastón a dársela tras haberlo tocado. Planeó su incremento en

Una expresión atenta significa que su perro está preparado para responder.

la dificultad del criterio sabiendo dónde quería llegar.

6. No cambie de adiestrador a medio camino. Puede tener varios adiestradores por alumno, pero cíñase a un moldeador por cada comportamiento.

Cada persona tiene su propia forma de hacer las cosas. Si su perro está haciendo un ejercicio, lo último que querrá será confundirle cambiando su entorno durante su progreso inicial en su adiestramiento. Cambiar la persona que está llevando a cabo el moldeo supone un gran cambio.

7. Si un procedimiento de moldeo no provoca progresos, encuentre otro. Hay tantas formas de provocar respuestas como adiestradores que piensen en ellas.

Puede que un perro aprenda rápidamente haciendo coincidir un *click* con el darle un premio, mientras que otro aprenderá más velozmente tentándole para que adopte una postura y punteando/recompensándole. Los perros responden a muchos métodos de adiestramiento distintos.

8. No interrumpa gratuitamente una sesión de adiestramiento: esto constituye un castigo.

Acabe siempre una sesión de adiestramiento haciendo algo divertido. Si a su perro le gusta jugar a cobrar un objeto, haga un par de rondas de este juego con él. Si le gusta que le froten el vientre, hágalo. Señalice siempre el final de una sesión haciendo algo positivo.

9. Si el comportamiento empeora, vuelva a la «guardería». Revise rápidamente todo el proceso del moldeo con una serie de reforzadores fáciles de obtener.

Es mejor retroceder para poder avanzar. Si su perro no está aprendiendo algo a un nivel concreto, retroceda uno o dos pasos, asegurándose de que el adiestramiento siga siendo positivo. Quizás no haya aprendido algo necesario para progresar. Retroceder hará que

Una caricia en el vientre es una forma excelente de finalizar una sesión de adiestramiento.

Puede finalizar su sesión de adiestramiento con un juego que el perro disfrute compartiendo con usted.

vuelva al punto en que su perro tenía éxito, manteniendo así la respuesta y la actitud positivas y conservando la atención y las ganas de su perro. Reconstruya el comportamiento y pase al siguiente paso, manteniendo fácil el objetivo.

10. Finalice cada sesión con un éxito, si es posible. En cualquier caso, acabe mientras lo estén pasando bien.

Asegúrese de que su perro le proporcione una respuesta correcta antes de finalizar una sesión. Si muestra signos de estar cansándose, finalice rápidamente la sesión realizando algo que esté seguro que hará bien.

Una gran forma de practicar el moldeo de una conducta antes de intentarlo con su perro consiste en pedir la ayuda de un familiar o un amigo. Jugará primero al juego del moldeo con ellos para perfeccionar su cálculo de los tiempos y su plan de moldeo. Empiece con la persona en el centro de la habitación. Haga que su objetivo sea que la persona toque un mueble cercano con la mano izquierda. Le dirá a la persona que cada vez que usted haga *click*, estará haciendo algo que usted quiere:

• Cuando la persona esté encarada en la dirección del mueble escogido, *clique*;
• Cuando la persona dé un paso en la dirección del mueble, *clique*;
• Cuando la persona dé otro paso en dirección hacia el mueble, *clique*; y así hasta que llegue al mueble;
• Si, por casualidad, la persona levanta una mano, *clique*;
• El siguiente *click* se hará si la persona eleva la mano izquierda;
• El próximo *click* vendrá si la persona levanta la mano izquierda y la acerca al mueble;

• Cuando la persona toque el mueble con la mano izquierda, *clique*;
• Cuando la persona pose la mano izquierda sobre el mueble, *clique*.

Ahora, la persona habrá conseguido tocar el mueble con la mano izquierda. Dele una onza de chocolate, ya que el comportamiento ha podido ser moldeado. La próxima vez que esa persona quiera que le dé una onza de chocolate, tocará ese mueble con la mano izquierda (estamos bromeando, por supuesto, ya que si quiere chocolate, irá a cogerlo). No puede hacer gran cosa si a una persona le da por revolver entre los cajones, pero sí puede hacer mucho en el caso que sea un perro el que lo hace.

Ahora que ya tiene una idea de cómo se moldea un comportamiento (después de todo, lo ha llevado a cabo al enseñar a su perro a fijar su atención en un objeto, y también lo ha hecho con una persona), intente usar esta técnica para hacer que su perro haga bien los ejercicios. Moldee un perro obediente.

El adiestramiento positivo da lugar a una actitud positiva y a un perro feliz.

Pasear sin tirar de la correa

Enseñar a su perro a pasear sin tirar de la correa probablemente sea uno de los comportamientos más difíciles de enseñar. La mayoría de las personas tiene el hábito de llevar la correa tirante o de estirar cuando el perro tira. Esto hace que el perro tire todavía más fuerte. Cualquier correa que ejerza una presión constante hará que el perro tire. Es una reacción natural. La tendencia instintiva de tirar que tiene el perro quizás esté más desarrollada en las razas de trabajo, pero todas las razas la poseen. Los Huskies, los Malamute y los Samoye-dos son criados específicamente para tirar de trineos y, por tanto, tienen un instinto de tirar más potente, pero su pequeño Pomerania puede hacer lo mismo, considerando que deriva de estas razas nórdicas. Un Yorkshire Terrier tirará, y también lo hará un Cocker Spaniel. Si usted aplica presión, su perro se la devolverá.

La clave para enseñar a su perro a no tirar de la correa consiste en no ejercer presión. En lugar de ello, enséñele a prestar atención. Enséñele que es mucho más gratificante pasear a su

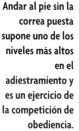

Andar al pie sin la correa puesta supone uno de los niveles más altos en el adiestramiento y es un ejercicio de la competición de obediencia.

lado que correr en el otro extremo de la correa, que le den tirones y tener que tirar para saludar a un perro y un propietario que se aproximen a ustedes. Tendrá que ofrecerle la mejor opción. Tendrá que condicionar a su perro para que prefiera la respuesta correcta.

El método que use para adiestrar a su perro dependerá, en gran medida, de su edad. También depende de su objetivo final. ¿Quiere que participe en pruebas de obediencia o, simplemente, que pasee con usted por el vecindario? Deberá definir sus objetivos antes de iniciar su adiestramiento. Necesitará comunicar a su perro cuándo desea que le preste atención y cuándo se le permitirá olisquear y seguir un rastro interesante. Su perro deberá escucharle, independientemente de dónde esté y de lo que suceda a su alrededor. Deberá hacerlo al darle una orden. Defina sus parámetros y cíñase a ellos.

Una vez haya definido sus objetivos, deberá planear su rutina de moldeo. Recuerde que debe ir un paso o dos por delante de su perro. Si él consigue completar con éxito y muy deprisa varios pasos, deberá pasar al siguiente. Si parece perder la capacidad de progresar llegado a un determinado nivel, deberá retroceder un paso o dos hasta llegar a un nivel en el que responda adecuadamente. No existen procedimientos fijos para cumplir un comportamiento concreto, sino sólo medios de moldear gradualmente una respuesta para que se transforme en su objetivo definitivo. Sea flexible, cons-

tante, persistente y paciente. Elógiele mucho y haga que todo sea divertido y positivo.

ADIESTRAMIENTO DE UN CACHORRO (DE CINCO SEMANAS A CUATRO MESES DE EDAD)

Los cachorros quizás no puedan prestar atención durante mucho tiempo, pero aprenden rápidamente y con ilusión. Están muy unidos a los miembros de su manada y tienden a quedarse cerca de ellos, lo que hace que adiestrarles para que presten atención sea relativamente fácil. Cuanto más joven sea el cachorro, más fácil será ganarse su atención. A medida que el perrito se haga mayor (tres meses o más), las distracciones en el entorno pueden adquirir mayor importancia si no le ha enseñado ya que estar atento es más atractivo.

En esta etapa, no querrá trabajar con la correa puesta. Sí: vamos a empezar con el adiestramiento sin la correa puesta (en una zona cerrada) antes de intentar el adiestramiento con la correa puesta. Esto le permitirá concentrarse en conseguir la respuesta adecuada de su cachorro sin tener que habérselas también con la correa. Una vez el cachorro capte la idea de lo que debe hacer, puede añadir la correa.

Los cachorros tienden a sentir un gran impulso por la comida. Es su incentivo principal. He visto que tentar a un cachorro para que lleve a cabo un comportamiento es la forma más rápida de conseguir objetivos. Una vez hayamos tentado al cachorro, podemos aña-

Use una tentación en forma de comida para hacer que el perro le preste atención.

propietarios de perros no tienen la paciencia o el tiempo para empezar de esta forma. Aparte de eso, a los cachorros les encanta oír la voz de su propietario y notar sus caricias. Este enfoque más personal hace que suponga un mayor disfrute para el perrito.

Las primeras sesiones de adiestramiento deberían llevarse a cabo en un lugar que el cachorro conozca. Ya habrá explorado el entorno y no hay distracciones. Tenga una golosina en una mano y el *clicker* en la otra. Primero enseñe a su perrito a fijar la atención en un objeto. Coloque el premio debajo de su trufa para llamar su atención. Tan pronto como se la preste, clique/elógiele y dele la recompensa. Desplace ligeramente el objetivo hacia un lado. Cuando el cachorro lo siga, *clique*/elógiele y dele la golosina. Mueva ligeramente el

dir el *clicker*. Para algunos, esto puede parecer un retroceso. Algunos adiestradores preferirían comenzar usando el *clicker* e ir moldeando gradualmente el comportamiento. Pienso que esto es algo que lleva mucho tiempo, y muchos

Dos cachorros pueden centrar su atención al mismo tiempo sobre el mismo objetivo.

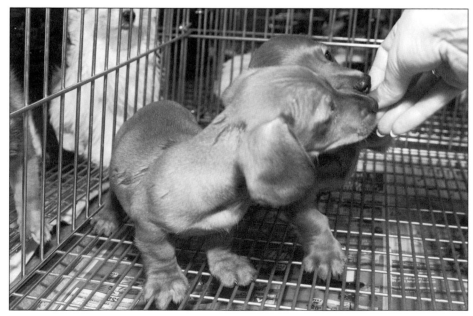

Se debería enseñar a todos los perros, grandes y pequeños, jóvenes y mayores, a andar al pie.

objetivo hacia el otro lado. Una vez más, cuando el cachorro lo siga con su trufa, *clique*/elógiele y dele el premio. ¡Ya ha logrado que el cachorro centre su atención en un objeto! En los pocos minutos que le ha llevado a su cachorro fijar su atención en un objeto, ha aprendido un par de comportamientos nuevos, además del significado de su «puente» (*click*/elogio), y que obedecer a su olfato le reporta grandes recompensas.

Dé a su cachorro una pausa de un par de minutos. Tendrá que identificar estos momentos de relajación de alguna forma. Empiece usando una palabra concreta, como «Pausa,» «Recreo,» o «Tiempo libre», etc. Tan pronto como pronuncie la palabra indicadora de la relajación, acaricie a su cachorro. La ac-

ción de acariciarle le relajará de la rutina de centrar su atención en un objeto, ya que a los perros les encanta que les toquen. Es una gran recompensa y un medio de finalizar una sesión de adiestramiento.

Los cachorros tienden a tener mejores actuaciones si trabaja con ellos en clases cortas. Puede pedirle entre tres y cinco respuestas y parar, o trabajar durante un minuto y medio y parar. Esto mantendrá la duración de la atención del cachorro durante un periodo total de tiempo mayor. Querrá seguir, ahondando así en su deseo de llevar a cabo las conductas.

Ahora que ya ha conseguido que el cachorro preste atención a su mano (asegúrese de que se trate de su mano izquierda si quiere que pasee a su lado

Mantenga el objetivo en el lugar donde desea que trabaje su perro.

Ahora que el cachorro presta atención a su pierna, dé un paso hacia delante con la pierna en la que centra la atención y dele la palabra escogida como orden para el ejercicio: por ejemplo, «Camina», «Anda» o «Vamos». Cuando se mueva, siguiéndole, *clique*/elógiele y recompénsele.

El siguiente nivel consistirá en dar dos pasos mientras el cachorro sigue a su objetivo. Clique/elogie y prémiele si permanece a su lado durante los dos pasos. Cada vez sucesiva que le diga a su cachorro que «camine» (o le dé la orden que esté usando), añada otro paso. En unos pocos minutos ya estará andando ocho-diez pasos o más. Pro-

Empiece a caminar dando el primer paso con la pierna que está más cerca de su perro.

izquierdo, y de la derecha si quiere que camine a su derecha), agáchese y coloque su mano a la altura de su pantorrilla. Cuando el cachorro siga su mano, *clique*/elogie y dele el premio cuando la toque con la trufa: lo hará con bastante rapidez y, si no es así, tiéntele permitiendo que olisquee su mano y acercándola a su pantorrilla.

Si su cachorro no parece interesado en el premio, deberá intentarlo con alguna otra cosa. Recuerde que una de las primeras cosas que debería hacer, antes del adiestramiento, es saber qué motiva a su cachorro. ¿Qué comida le vuelve loco? ¿Cuál es el juguete por el que hará cualquier cosa? Use un motivador valioso. Si el cachorro quiere la recompensa, hará lo que sea por obtenerla y, por tanto, aprenderá a un ritmo más rápido.

porcione a su cachorro una pausa de unos pocos minutos y repita el ejercicio, comenzando con 5 pasos y trabajando hasta llegar a 15. Tómese otra pausa y empiece con 10 pasos, avanzando hasta llegar a 20.

Una vez que el cachorro camine agradablemente a la altura de su pie, empiece a añadir giros. Ande en línea recta unos cinco pasos y luego gire a la derecha, deténgase, clique/elogie y recompense. Repítalo por lo menos tres veces. Luego, avance recto un número variable de pasos, gire y deténgase, *clique*/elogie y premie. La próxima vez, añada unos cuantos pasos después del giro antes de puentear. Haga lo mismo con el giro hacia la izquierda. Empiece a variar los giros y la cantidad de pasos antes y después de los mismos. Asegúrese de proporcionar a su cachorro una pausa cada tres-cinco minutos. Si empieza a mostrar signos de desinterés (p. ej., si olisquea el suelo, mira hacia otro lado o empieza a mostrarse soñoliento), pare, pero acabe siempre con un éxito para su perrito realizando un ejercicio correctamente.

Cuando el cachorro vaya siguiendo la rutina, podrá empezar a reducir las tácticas de cebo/tentación. Vaya, gradualmente, elevando el objetivo y empiece a caminar erguido. (Será muy incómodo caminar siempre encorvado). Asumiendo que el cachorro mantenga la trayectoria adecuada (permaneciendo en la posición de andar al pie), elógiele mientras la mantenga y *clique* al detenerse. Ahora que no está recibiendo el premio con tanta frecuencia co-

mo antes, el *click* y el elogio refuerzan su comportamiento. El *click* debería usarse como indicación que señale el final de un ejercicio.

ADIESTRAMIENTO DE UN PERRO ADOLESCENTE (DE CUATRO MESES A DOS, Y POSIBLEMENTE TRES, AÑOS)

El adiestramiento de un perro de esta edad quizás sea uno de los mayores retos. Los perros de esta edad se encuentran inmersos en el proceso de definir su lugar en el seno de su familia, se distraen con facilidad y están llenos de energía. Los perros adolescentes ya no están pegados a los miembros de su manada. Les gustaría más ir de un lado a otro, explorando nuevos territorios y poniendo a prueba su potencial.

Puede intentar empezar con las mismas tácticas que en el caso de un perro

Antes de poder empezar con cualquier tipo de adiestramiento con la correa puesta, el cachorro debe estar acostumbrado a llevar puesto su collar.

El uso de un arnés para la cabeza llevado a cabo correctamente le proporcionará un control instantáneo en todas las situaciones.

usaban en las primeras investigaciones sobre el comportamiento para estudiar el uso de los estímulos aversivos en el aprendizaje. Se metía a una rata o un mono en la jaula y se administraba una descarga para extinguir o moldear un comportamiento. Me horroricé al leer esto, y soy muy contraria al uso del refuerzo negativo en cualquier proceso de adiestramiento. Aunque las técnicas de electroshock son más extremadas que las que usaría el propietario de una mascota, no recomiendo ningún tipo de refuerzo negativo.

En cuanto su perro adolescente tenga una idea de lo que espera de él, empiece a trabajar con él en una zona tranquila y sin distracciones. Asegúrese de usar una recompensa que le vuelva loco. Debe tener un gran valor para que mantenga su atención. Por mi experiencia, he visto que el hígado liofilizado va muy bien, al igual que los pedacitos de perrito caliente o de queso. Asegúrese de no darle nada que le revuelva el estómago. Estas apreciadas recompensas son alimentos muy energéticos, y un perro con el estómago delicado podría reaccionar mal si consume demasiadas.

Su perro adolescente quizás no necesite un cebo/tentación para adoptar la posición correcta. Debido al mayor nivel de energía de un perro adolescente, probablemente pueda moldear todo el comportamiento. Sin embargo, si quiere avanzar más rápidamente, use una tentación. Siempre podrá ir retirándola mientras vaya avanzando.

joven, pero no funcionarán cuando su perro se vea expuesto a distracciones de cualquier tipo. Tampoco funcionarán si el perro intenta aseverar su dominancia. De hecho, será difícil usar puramente el refuerzo positivo en esta etapa. También necesitará algún castigo de vez en cuando en forma de castigo positivo (la presión de un arnés para la cabeza y la correa) y de castigo negativo (retirar algo positivo), además del reforzador secundario del castigo: la palabra «No».

Nota: Se dará cuenta, a lo largo de este libro, que nunca sugiero el uso del refuerzo negativo. Esto sería similar a meter a su perro en una jaula con el suelo electrificado, como las que se

Empiece cargando el *clicker*. Enseñe a su perro adolescente a establecer una conexión entre el ruido del *clicker* y la recepción de una recompensa. Debería captar la idea tras tres-cinco intentos. Ahora, para moldear el ejercicio de andar al pie:

1. Cuando su perro le mire, *clique*/elogie y dele la golosina. (Si usa una tentación, muéstrele el premio y permita que acuda hacia él. Cuando lo haga, *clique*/elogie y recompense).

2. Cuando dé un paso hacia usted, clique/elogie y dele la golosina.

3. Cuando dé dos pasos hacia usted, clique/elogie y dele el premio… y así hasta que esté a su lado.

Gire, de forma que su perro esté a su lado. Tan pronto como esté en la posición correcta, incluso aunque tenga que colocarle en esta posición, *clique*/elogie

Para enseñar al perro a pasear a su lado, dé un paso hacia delante mientras le enseña el objetivo.

y recompénsele. Si permanece en esta posición, *clique*/elogie de nuevo y prémiele. Mientras siga permaneciendo en esta posición, puentee y recompense. Si se mueve, no haga nada. Simplemente espere. Cuando adopte la posición de andar al pie, clique/elogie y premie. Si no consigue colocarse en la posición de andar al pie, tiéntele con la comida y luego clique/elogie y dele la golosina.

Ahora empiece a añadir la orden de andar al pie *(heel)*. Pronuncie su nombre y, a continuación, la orden escogida. Hágalo sólo una vez. Nunca repita su orden, o ésta se convertirá en ruido de fondo que su perro aprenderá a ignorar. No tendrá sentido si no explica lo que sucede al dar la orden. Dé la orden cuando su perro se coloque o mantenga la posición de andar al pie.

Sujetar la recompensa al lado de su pierna, sin que la pueda coger, es también una buena forma de explicarle lo que quiere. La tentación hará que se coloque en posición sin que usted deba situarle. Es mucho más rápido que, sencillamente, esperar a que el comportamiento suceda.

Tan pronto como su perro adolescente se coloque en posición, *clique*/elogie y prémiele. Siga elogiándole mientras permanezca en posición. A continuación, dé un paso hacia delante mientras le dice: «Perrito, camina.» Tiéntele con la comida. Mientras permanezca en la posición de andar al pie, a su lado, alábele. Si no se queda en la posición, tiéntele para que la adopte con la comida. Elógiele siempre que adopte la posición que le ha pedido.

Una vez que pueda dar más de un par de pasos y su perro adolescente permanezca a su lado, alábele por mantener la posición. *Clique* y recompénsele al detenerse, señalándole el final del ejercicio. Esto no implica necesariamente una pausa o rato de recreo, sino el final de ese momento durante el que han practicado el *heel*. Puede volver a darle la orden tras el refuerzo y continuar.

Vaya moldeando gradualmente a su animal para que se convierta en una «máquina de andar al pie». Convierta el par de pasos en tres, cuatro y más pasos, hasta que pueda dar 20 o más, girar a la izquierda, a la derecha y variar el ritmo. Proporciónele una pausa cada, más o menos, cinco minutos y acaríciele y/o juegue con él. De este modo estará finalizando el ejercicio con algo positivo.

Ahora es el momento de trabajar con distracciones. La mayoría de los perros adolescentes intentarán alejarse, olisqueando olores interesantes y brincando. ¡Son adolescentes! Están llenos de energía. Permita que su perro adolescente queme un poco de energía antes del adiestramiento. Jueguen al cobro de un objeto, corra en el interior de un recinto vallado con él…, lo que sea con tal de que se relaje. Su perro adolescente no podrá concentrarse si no le proporciona suficiente ejercicio.

Al verse enfrentado a distracciones, muchos perros adolescentes se verán menos motivados por la comida o los juguetes. Preferirían investigar, correr detrás de algo o dedicarse, de alguna otra forma, a la distracción. Si no dispone de un medio para aplicar un castigo positivo no tendrá ninguna posibilidad de volver a ganarse su atención.

Para usar un castigo positivo con éxito, necesitará revisar los procedimientos para su uso adecuado. Use lo que use, ya se trate de un collar de tipo almártaga, de un arnés para la cabeza, de un collar estrangulador, de uno de púas o de uno electrónico, deberá asegurarse de usarlo correctamente. Se trata de utensilios peculiares que requieren conocimientos para su uso, o podrían dar lugar a maltratos.

En el caso de cualquier cosa colocada alrededor del cuello, lo que no querrá es que ejerza una presión constante. La presión sobre la tráquea de su perro conseguirá dos cosas: constreñirla y hacer que el animal tenga todavía más ganas de tirar. Así, el collar tipo almártaga, el estrangulador y el de púas nunca deberían ejercer una presión constante: en otras palabras, ¡no tire nunca! Dé un tirón y suelte. Dé un tirón y redirija. Úselo muy de vez en cuando, y sólo cuando sea absolutamente necesario.

El collar electrónico no se usa para refrenar a un perro. Se usa a modo de castigo positivo. Cuando el perro no responda a una redirección, al refuerzo positivo o al castigo negativo (quitarle algo que le gusta), deberá usar algo para atraer su aten-

ción. Una vez más, puede llegar a cometer abusos con este aparato, así que asegúrese de conocer bien su uso antes de colocárselo al perro. La estimulación eléctrica debe aplicarse en el momento exacto en el que el perro se esté comportando mal. Deberá ser redirigido de inmediato hacia un buen comportamiento y ser premiado por ello.

Los arneses para la cabeza nos ofrecen un medio para controlar al perro sin usar el dolor a modo de refuerzo. En lugar de ello, la presión sobre el hocico de su perro actúa a modo de mensaje de que ha hecho algo mal. Los perros rodean con su boca el hocico de otro perro para mostrarle su dominancia o para corregirle. El arnés para la cabeza estimula este comportamiento. Estos arneses reducen también la potencia del empuje del perro hasta en un 90 %, ya que los perros deben seguir a su cabeza. En el caso de algunos

Collar educativo de tipo almártaga.

perros, el arnés para la cabeza es como una «pastilla mágica», y para otros es una simple pastillita, ya que luchan contra la sensación que les provoca el aparato en el rostro. He visto que a los Labrador Retriever, en concreto, tiende a desagradarles, más que a otras razas, la sensación del arnés para la cabeza. Muchos perros dominantes intentarán sacarse el arnés, mientras que los que son excesivamente sumisos quizás se cierren en banda al verse tan tremendamente dominados. Los arneses para la cabeza no resultan válidos para todos los perros, pero funcionan en alrededor del 80 % de los canes y logran evitar su comportamiento de tirar de la correa, además de permitirnos superar muchos tipos de agresividad. Esta herramienta también tendrá un valor incalculable para el adiestramiento de aquellos perros que no encuentran una motivación en la comida o en los juguetes.

Recuerde que todas estas herramientas para el adiestramiento deberán usarse muy de vez en cuando y de forma que redirijan al perro hacia el comportamiento correcto. Una vez que su perro preste atención, aunque sólo sea durante un segundo, *clique*/alábele y prémiele. Cuando suceda esto, le pedirá, sucesivamente, un periodo de atención cada vez más largo, además de una

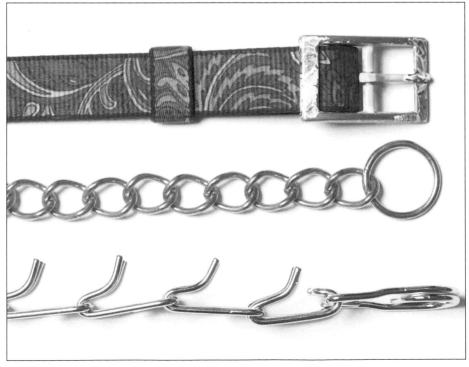

Tres tipos de collar: el de nylon con hebilla en la parte superior, el estrangulador de eslabones en el centro y el collar de púas en la parte inferior.

Primer plano del arnés para la cabeza. Este utensilio para el adiestramiento nos aporta una forma de controlar al perro sin usar el dolor como reforzador, pero deberán enseñarle cómo usarlo correctamente.

respuesta cada vez mayor mediante su moldeado. Estudie o vaya a clases de adiestramiento antes de usar cualquier utensilio para el adiestramiento con el que no esté familiarizado. El objetivo es el adiestramiento mediante el refuerzo positivo, y no el adiestramiento con maltratos.

EL ADIESTRAMIENTO DE PERROS MAYORES (DE MÁS DE TRES AÑOS)

El método que use en el caso de un perro de más de tres años dependerá, en gran medida, del animal. Cada perro es único, y cada uno responderá a su entorno de forma distinta. Las pruebas de temperamento realizadas antes del adiestramiento le ayudarán a dilucidar qué camino tomar. Sea cual sea, podrá convertirlo en una forma de adiestramiento usando el refuerzo positivo.

Las pruebas de temperamento suelen llevarse a cabo en el caso de los perros de refugios o perreras municipales. También se efectúan en los cachorros, para descubrir su potencial futuro. La prueba de temperamento que realice en el caso de su perro no tiene por qué incluir los rasgos de su personalidad, sino asuntos relacionados con la facilidad para adiestrarle. La mayoría de los perros adultos se verá muy motivada por la comida, ya que no se distraen tanto con otros animales, personas y ruidos. Ha tenido tiempo de acostumbrarse a su entorno y pueden socializarse regularmente. No tienen un nivel de energía tan elevado como un perro adolescente. Hágase las siguientes preguntas:

1. ¿Hay algún alimento que le encante a mi perro? Si es así, ¿cuál es?

2. ¿Es mi perro alérgico a algún alimento? Si es así, evítelo e inténtelo con algo que le guste y pueda comer.

3. ¿Disfruta mi perro interaccionando conmigo?

4. ¿Me sigue a todas partes?

5. ¿Es curioso?

Si a su perro le encanta la comida, eso hará que el uso del refuerzo positivo sea fácil. Si le gusta seguirle, disfruta con sus caricias y medra con los elogios, será cosa fácil. Si es curioso, aprenderá rápidamente y no habrá nada que pueda detenerle para que se convierta en un genio. Aquí tiene algunas cosas más para descubrir más sobre la personalidad de su perro y su capacidad futura de aprendizaje usando el adiestramiento con refuerzo positivo.

Para comprobar la capacidad de atención de un perro, piense en lo siguiente: si a su perro le gusta lamerle, tocarle y seguirle, será un candidato ideal para el adiestramiento con refuerzo positivo. Si a su perro le gusta dormir en una habitación apartada de la suya y se acerca a usted para que le acaricie sólo cuando le apetece, pero acude hacia usted cuando le llama, sigue siendo un buen candidato. Si no le escucha en absoluto y se aleja de usted, lo más probable es que no pueda usar, únicamente, el refuerzo positivo: quizás necesite también algo de castigo positivo. Espere y vea. No empiece directamente con el castigo positivo, pero esté preparado para usarlo si es necesario.

La mayoría de los perros tiene algún tipo de instinto de ir tras una presa. Saldrán corriendo detrás de un objeto en

Un candidato ideal para el refuerzo positivo es un perro al que le encante mostrar su afecto.

Los elogios son de ayuda para mantener la atención de su perro.

Cuando su perro tire de la correa, manténgase firme como un poste y no se mueva.

movimiento o, como mínimo, lo mirarán. Disfrutan con su comida y les gusta ir a dar paseos. Un perro que actúe bien con un adiestramiento con refuerzo positivo tendrá también una buena motivación por el trabajo. Lo gustará mantenerse activo e interaccionar. Un perro que esté interesado en su entorno y por dónde está usted (el adiestrador) en relación con el lugar donde él se halla será un buen candidato para el adiestramiento con refuerzo positivo. Un perro que prefiera ir detrás de animales y objetos en movimiento puede seguir siendo un buen candidato, pero quizá deba usar un utensilio para el adiestramiento con castigo positivo para controlarle cuando se distraiga.

Un perro al que no le importe dónde esté usted ni lo que esté haciendo, y/o que sea agresivo, deberá ser adiestrado con una herramienta para el castigo positivo, como un arnés para la cabeza o un utensilio electrónico para el adiestramiento. El uso de un collar para el cuello en este tipo de perro dará como resultado una mayor agresividad y problemas futuros.

Para el perro que responda y esté atento y que tenga una buena motivación, inicie el adiestramiento del mismo modo que haría en el caso de un perro adolescente o un cachorro: responderá rápidamente. Cuando actúe con éxito en un lugar sin distracciones, vaya incrementando gradualmente el nivel de dichas distracciones hasta que domine cualquier cosa que le pida. En el caso del perro que siga distrayéndose con facilidad, sea excesivamente amistoso con los desconocidos o sea, simplemente, revoltoso, use un utensilio para el castigo positivo cuando sea necesario. Lo más probable es que lo necesite al principio del adiestramiento con distracciones, pero pronto podrá empezar a abandonar su uso.

En el caso del perro más asertivo y al que no le importan las recompensas en forma de comida, de caricias o de elogios, deberá adiestrarle con un arnés para la cabeza y recompensarle con alabanzas y caricias en el momento exacto en que se esté comportando correctamente, incluso aunque ese momento

Tiente al perro para que vuelva a colocarse a su lado y luego *clique* y recompénsele.

dure sólo una fracción de segundo. Hágale ver que su respuesta es mucho más agradable si él le proporciona el comportamiento que le ha solicitado. Pronto verá que este perro va prestando más atención y está más tranquilo, y que está desarrollando una mayor motivación por el trabajo, al tiempo que va extinguiendo su comportamiento inadecuado. Aquí le mostramos un par de maneras de transformar los tirones del perro en que éste le mire:

1. El ejercicio de mantenerse firme como un árbol: cuando su perro salga corriendo por delante de usted, quédese quieto. No le ceda correa. Cuando mire hacia atrás, hacia usted, *clique*/elógiele y dele una golosina. Si sigue mirándole o le mira por segunda vez, *clique*/alábele y recompénsele. Cuando dé un paso o dos hacia usted, *clique*/elógiele y

prémiele. A medida que se vaya acercando más y más a usted, clique/alábele y dele una golosina. Cuando vuelva hasta donde está usted, *clique*/elógiele y prémiele. Dé otro par de pasos hacia delante: si su perro vuelve a salir corriendo hacia delante, lleve a cabo el mismo ejercicio de moldeado de su retorno. Si su perro permanece a su lado, *clique*/alábele y recompénsele.

2. El ejercicio de darse la vuelta y redirigir: este ejercicio es de lo más útil si usa un arnés para la cabeza. Cuando su perro salga corriendo hacia delante, ejerza un tirón suave hacia abajo mientras gira hacia la derecha. Deténgase. Si su perro está a su lado, *clique*/elógiele y prémiele. Si no, vuelva a dar un tirón suave hacia abajo y dé un giro. Tan pronto como su perro esté a su lado, *clique*/alábele y dele una golosina.

3. El ejercicio del golpe y el giro: cuando su perro empiece a tirar hacia delante, dé un gran paso hacia delante con la pierna derecha y dele un golpe con la pierna izquierda que le desplace a un lado, mientras da un giro hacia este mismo lado. Los perros aborrecen que les golpeen, y este castigo positivo enseñará, a su perro en muy poco tiempo, a prestarle atención mientras camina. Tan pronto como vaya más lento y le mire, *clique*/elógiele y prémiele.

Con el tiempo, la única respuesta que deberá darle son los elogios, pero conseguir esto lleva meses, por no decir años. Repetición, repetición, repetición y toneladas de alabanzas.

Cuando use un arnés para la cabeza, aplique un tirón suave hacia abajo mientras gira.

Coloque su pie izquierdo delante del perro mientras gira hacia la izquierda para así evitar su tendencia a ir recto hacia delante.

«Siéntate»
y «Túmbate»

La forma más sencilla de empezar con la colocación en las posturas de sentado y tumbado es mediante las tentaciones en forma de comida. Una vez hayamos tentado al perro para que adopte la postura, podrá *clicar*/elogiar y recompensarle. Parece fácil, ¿no? Debería serlo, pero los perros no son robots. Cada perro es distinto, al igual que sucede con las personas. Cada perro responderá a las indicaciones de forma distinta. No todos los perros sienten motivación por las recompensas en forma de comida. Algunos prefieren una caricia, los elogios verbales o un jugue-

te. Y algunos ni se inmutan con ningún reforzador positivo.

En primer lugar, empezaré comentando cómo enseñar a su perro a adoptar la posición de sentado mediante tentaciones y el refuerzo con el *clicker*, las alabanzas y un premio en forma de comida. Continúo comunicándome con el perro con un juguete y luego mediante el tacto. Otra cosa: si ha enseñado al perro a fijar su atención con el bastón, puede usarlo también para tentarle a que adopte la postura de sentado.

Ahora hablaremos sobre el tentar con comida. La mayoría de los perros

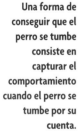

Una forma de conseguir que el perro se tumbe consiste en capturar el comportamiento cuando el perro se tumbe por su cuenta.

obedecen a su olfato. Para tentar a su perro para que adopte la posición deseada, sólo deberá colocar la comida en el punto correcto y *clicar*/alabar y premiarle en cuanto se coloque en esa posición. La parte difícil consiste en saber dónde colocar el premio. Al tentar a su perro para que se siente, deberá colocar el cebo directamente entre sus ojos, a sólo unos pocos centímetros fuera de su alcance. Intentará alcanzar la comida mirando hacia arriba. Al hacerlo, la parte posterior de su cuerpo descenderá. Cuando suceda esto, aunque sólo sea un poco, *clique*/alábele y dele su golosina. Si su perro no se sentó del todo durante el primer intento, no pasa nada. Repita el ejercicio y pídale un poquito más la próxima vez.

Algunos perros quizás necesiten algo de ayuda, ya que están tan emocionados con el ejercicio que no pueden quedarse sentados y quietos en absoluto. Como ayuda para su perro ansioso, ejerza una ligera presión sobre su grupa. *Clique*/elógiele y recompénsele en cuanto toque el suelo con el trasero. Quizás necesite ayudarle unas pocas veces, pero captará la idea.

Después de unos pocos intentos o, generalmente al principio, ya que el perro suele aprender esta postura rápidamente, añada la orden «Siéntate» a sus indicaciones. Dígale «Perrito, siéntate» mientras coloca la golosina por encima de su cabeza y entre sus ojos. Dígale «Buen perro» cuando se coloque en la posición y *clique* y le dé su premio.

Ahora pasaremos a la tentación con un juguete, que es bastante similar a la

Clique cuando su perro se siente.

tentación con comida. La diferencia consistirá en que deberá dejar ir a su perro después de cada ejercicio completado con éxito, ya que querrá mordisquear o jugar con su juguete. Sin este refuerzo, la tentación consistente en el juguete no funcionará. Gradualmente, podrá hacer que su perro lleve a cabo más conductas con menos ratos de recreo. No obstante, tiende a llevar algo más de tiempo tentarle a llevar a cabo una conducta con un juguete que con comida.

Por último, hablaremos de la tentación con el tacto o con caricias. Generalmente, no podrá tentar a su perro con la promesa de una caricia. Es cierto: no hay forma de hacerle saber que tiene intención de acariciarle si se sienta para

IZQUIERDA: Coloque una mano debajo de la barbilla de su perro y la otra justo delante de su cadera.
DERECHA: Mientras echa ligeramente hacia arriba su barbilla, empuje suavemente hacia abajo su cadera.

usted. En lugar de tentar a su perro para que adopte la posición, deberá colocarle en la misma mediante el tacto, por supuesto. Una vez que esté bien colocado, acaríciele en un lugar que le guste mucho, como en el pecho o el vientre, o frótele las orejas. Después de varias repeticiones, su perro empezará a captar la idea de que será acariciado y hará, alegremente, cualquier cosa para obtener su recompensa en forma de caricias. Para usar el *clicker* con este método de adiestramiento, probablemente necesite tres manos. Será mejor que use el *clicker* más adelante, cuando su perro comprenda mejor el ejercicio y no deba colocarle en la posición. Cuando use el *clicker*, puede *clicar*/elogiarle en cuanto

se coloque en la postura de sentado y luego le acariciará.

No le llevará muchos intentos acabar teniendo un perro que se siente cuando se lo ordene. Incluso muchos de los perros más asertivos se sentarán por una golosina. Una vez que su perro se haga una idea de cómo sentarse para obtener un premio, podrá incorporar de muchas formas el «siéntate» a su repertorio de comportamientos. Puede sentarse a su lado cuando estén andando al pie. Puede sentarse para obtener atenciones, en lugar de saltar encima de las personas para obtenerla. Puede sentarse cuando le esté examinando o bañando. Para incorporar el «sentado» en la rutina del andar al pie, haga lo siguiente:

do al pie, ya que está usted haciendo que le preste atención incluso después de detenerse.

Para enseñar a su perro a sentarse para recibir atenciones, haga lo siguiente:

1. Cuando salte encima de usted, apártese. No le proporcione ninguna atención positiva. El mero hecho de hablarle puede suponer una recompensa para él, así que no diga ni pío.

2. Muestre a su perro la golosina. Colóquela entre sus ojos.

3. Diga «Siéntate perrito». Use un tono de voz propio de una orden. No grite ni la repita.

4. Tiéntele para que adopte la posición.

Coloque el objetivo entre los ojos del perro. Cuando su cabeza se desplace hacia arriba, la parte posterior de su cuerpo descenderá para adoptar la postura de sentado.

1. Haga que su perro camine con usted un par de pasos. Al detenerse, muestre a su perro la golosina, sujétela justo fuera de su alcance y entre sus ojos y dígale «Perrito, siéntate» al detenerse.

2. Cuando el trasero de su perro contacte con el suelo, *clique*/elógiele y recompénsele.

3. Repítalo a lo largo de su ejercicio de andar al pie. Al cabo de poco tiempo, su perro se sentará cuando usted se detenga.

Ahora ha emparejado dos comportamientos. Su perro tiene que hacer más cosas para conseguir el «puente» y la recompensa. También tenderá a quedarse más cerca de usted mientras está andan-

Puede enseñar a su perro a sentarse para que le preste atención y así no busque llamar su atención de formas no deseables, como ladrando y saltándole encima.

Una vez que el perro se siente, clique *y dele el premio.*

5. Tan pronto como adopte la posición, *clique*/alábele y prémiele.

6. Repita cuanto sea necesario.

Para que esto funcione, necesitará ser muy observador con el comportamiento de su perro. Si resulta que acude hacia usted y se sienta, deberá recompensarle con gran entusiasmo. Si no lo hace, volverá a saltar encima de usted para que le preste atención. Enseñar a su perro a que se siente mientras es examinado y acicalado requerirá que le enseñe a quedarse quieto:

nos ocuparemos de eso en el próximo capítulo.

Ahora llegamos a una de las conductas más difíciles de enseñar: el «túmbate». Para comprender por qué puede resultar difícil, debe ser consciente, en primer lugar, de que tumbarse es una conducta de sumisión. Los perros se sienten muy expuestos a los ataques cuando se encuentran en esa posición, y sólo la adoptarán por propia iniciativa si muestran su sumisión a un animal dominante. Decir a su perro que se tumbe cuando se lo ordene es contrario a sus deseos. Muchos perros no lo harán ni por el más exquisito de los solomillos. ¿Bajar la cabeza para hacerse con la comida? ¡Por supuesto!, pero... ¿hacer descender todo el cuerpo? ¡Ni hablar!

Existen varias formas de tentar a su perro para que se tumbe. Puede hacerlo o delante de él o a partir de la posición de andar al pie. Su posición tendrá mucho que ver en si es fácil tentar a su perro para que se tumbe. Aquí le mostramos cómo tentar a su perro para que se tumbe partiendo de que está usted delante de él (para un perro no dominante y de carácter agradable):

1. Esté de pie delante de su perro y pídale que se siente.

2. En cuanto se siente, *clique*/alábele y prémiele.

3. Muéstrele la mano con la recompensa en su interior y haga que fije su atención en ella. *Clique*/elógiele y déle la golosina.

4. Haga descender su mano directamente debajo de su trufa. Haga que cen-

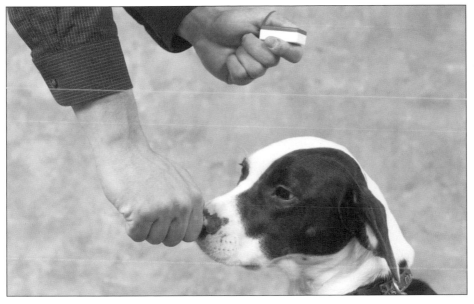

Antes de guiarle para que adopte la postura de «tumbado», muestre a su perro el objetivo.

tre su atención en ella. *Clique*/elógiele y prémiele al hacerlo.

5. Vaya haciendo descender gradualmente el objetivo hasta que toque el suelo. Mientras el perro fije su atención, deberá hacer descender sus hombros más y más cada vez.

6. Su objetivo es que el perro se tumbe con el vientre tocando el suelo. Al cabo de unas pocas repeticiones, debo-

Los perros no tienen problemas para adoptar la postura de «tumbado» por su cuenta, pero quizás no les guste tanto que les ordenen que la adopten.

Cuando el perro fije la atención en el objetivo, dé la indicación visual (un dedo señalando hacia abajo) y la orden de «túmbate».

ría hacerlo sin que deba usted tocarle. Sin embargo, tan pronto como consiga llevar a cabo el comportamiento de tumbarse, *clique*/alábele y recompénsele junto con una pausa del trabajo y una caricia en el vientre.

7. La próxima vez que practique este ejercicio, haga coincidir la orden con la indicación, de forma que su perro pueda empezar a entender el significado de sus palabras, al tiempo que ya conoce plenamente el ejercicio, haciendo así que no parezca tanto una corrección, sino más bien un juego.

Una vez que su perro tenga un conocimiento general de la orden de tumbarse, puede repetir el ejercicio utilizando el bastón-objetivo o, sencillamente, una indicación visual, usando siempre el «puente» y la recompensa en el momento adecuado. Una vez que haya podido asentar un umbral para este ejercicio (es decir, que el perro permanezca un par de segundos en posición antes de recibir la recompensa), podrá empezar a enseñarle el túmbate/quieto.

Aquí le mostramos cómo tentar al perro para que adopte la postura de tumbado a partir de la posición de andar al pie (lo usaremos en el caso del perro obstinado):

1. Practique el ejercicio de andar al pie y sentarse. Empiece siempre con

conductas que su perro conozca bien y en las cuales esté recibiendo una retroalimentación positiva.

2. Después de un par de minutos haga que su perro se siente a su lado.

3. Estando su perro en la posición de andar al pie, coloque su mano-objetivo justo debajo de su trufa y permítale olfatear la golosina.

4. Haga descender su mano hasta el suelo mientras le da la orden para tumbarse.

5. Si se tumba: ¡bravo! Realmente aprende rápido. Si no es así, continúe.

6. Manteniendo el objetivo justo debajo de su trufa, haga una ligera presión justo detrás de sus escápulas. Si esto es suficiente para que su perro decida tumbarse por sí mismo, *clique*/alábele y recompénsele.

7. Si esto no es suficiente para que su perro se tumbe, necesitará las dos manos para colocarle en la posición. Le harían falta cuatro manos para sujetar una golosina o un *clicker* mientras hace esto. Por tanto, retirará el *clicker* y hará presión justo detrás de las escápulas con la mano más cercana a él (la izquierda si está a su lado izquierdo y la derecha en caso contrario).

8. Mientras ejerce la presión, eche sus patas delanteras directamente hacia delante mientras le guía para que adopte la posición de tumbado. Tan pronto como su vientre contacte con el suelo, elógiele verbalmente y dele su premio. Empiece directamente con el ejercicio de andar al pie. Cuando acepte que le coloquen en la posición, elógiele y haga que se quede un segundo o dos más an-tes de darle la golosina. Esto le preparará para el túmbate/quieto.

Su perro se tumbará cada vez con más facilidad cada vez que intente el ejercicio de tumbarse. Tan pronto como lo haga sin que tenga que ayudarle, podrá, nuevamente, hacer coincidir el *click* con los elogios verbales y el premio.

Una vez que su perro comprenda bien las órdenes de sentarse y tumbarse a su lado, será el momento de enseñarle estos ejercicios desde una cierta distancia. Puede hacerlo con indicaciones de su bastón-objetivo, usándolo a modo de extensión de su mano. Empiece dando las indicaciones con el bastón-objetivo mientras su perro está cerca de usted. Para que se siente, eleve la vara-objetivo recta hacia arriba.

Haga descender el objetivo hasta el suelo.

1. Haga que su perro centre su atención en el extremo del bastón. *Clique*/elógiele y recompénsele cuando toque el bastón con la trufa.

2. Desplace el bastón-objetivo hasta encima de la cabeza de su perro, entre sus ojos, mientras le pide que se siente. El extremo del bastón debe estar justo fuera de su alcance. Cuando mire hacia arriba, toque la vara con la trufa y se siente, *clique*/alábele y prémiele.

3. Apártese un paso de su perro y repita el ejercicio. Esta vez, su perro no podrá tocar el bastón, pero verá su movimiento. Al elevar el bastón, dé a su perro la orden para sentarse. Si el animal responde correctamente, *clique*/elógiele y recompénsele. A veces deberá retroceder un poco para mantener una respuesta positiva. La falta

ARRIBA: Una presión suave sobre las escápulas ayuda a que un perro reticente adopte plenamente la postura de tumbado. **DERECHA:** Sin importar lo cerca o lejos que esté del perro debe poder mantener su atención centrada en usted.

Será una excelente indicación a distancia, ya que surgirá directamente de su silueta. Desde una cierta distancia, los perros no ven los detalles, sino formas. El movimiento sí capta su atención, al igual que las diferencias en las formas. La indicación, desde una cierta distancia, para que se tumbe debería realizarla apuntando al suelo con el bastón, a su lado. Puede usar distintas indicaciones visuales. Simplemente, sea constante y tenga en cuenta la capacidad de percepción visual del perro a una cierta distancia.

Para enseñarle a sentarse desde una cierta distancia:

de entendimiento podría dar lugar a frustración en la persona y el perro. Si frustra a su perro, puede que se cierre en banda y ya no muestre interés por progresar. Mostrará desdén por las sesiones de adiestramiento en lugar de deseos de trabajar. Ésta es la razón por la que mantener una tónica positiva y gratificante para él es tan importante, incluso aunque ello implique ralentizar temporalmente su progreso.

4. Moldee gradualmente el comportamiento de sentarse a una cierta distancia incrementando el espacio existente entre usted y su perro con cada ejercicio completado con éxito. Tómese su tiempo y hágalo bien. No quiera avanzar a saltos demasiado grandes y asegúrese de hacer que todo sea lo suficientemente fácil para su perro como para que éste comprenda cada incremento.

La distancia que se haya marcado como meta depende de usted. Pueden ser 6 metros o 30 metros, o cualquier distancia intermedia, siempre que se encuentren en una zona vallada. Intente conseguir un pequeño incremento en el objetivo en cada sesión de adiestramiento.

Para enseñarle a tumbarse desde una cierta distancia puede iniciar el ejercicio desde la posición de sentado/quieto, durante el rato de relajación o mientras esté practicando que el perro acuda hacia usted al llamarle. El ejercicio de tumbarse desde una cierta distancia puede usarse para el pastoreo, para el trabajo de terapia, la obediencia o por

Unas caricias en el vientre son una gran recompensa por tumbarse.

simple seguridad. Sus usos son tan variados como su imaginación.

Es mucho más fácil iniciar este ejercicio desde la posición de sentado/quieto, así que quizás quiera leer un poco más y trabajar el «quieto» antes de intentarlo con esta orden. Colóquese delante de su perro y dele la orden para tumbarse mientras le dice: «Perrito, túmbate». Puede indicárselo con el bastón-objetivo o con un dedo. Sea cual sea la indicación visual que decida usar, haga que sea siempre la misma. Tan pronto como su perro esté en la posición de sentado, *clique*/alábele y

ARRIBA: Vaya incrementando gradualmente la distancia a la que se encuentra del perro cuando le dé órdenes. DERECHA: Una buena indicación a distancia para el «Túmbate» es una mano levantada.

Una buena indicación a distancia para el «Ven» es darse unas palmadas en el pecho con el brazo elevado.

recompénsele. Repita el ejercicio frecuentemente. No obstante, no lo haga más de dos o tres veces seguidas. Quiere enseñar a su perro las indicaciones, pero no adiestrarle para que lleve a cabo patrones de conducta. Mezcle siempre los ejercicios, de forma que su perro esté siempre expectante y ninguno de los dos se aburra.

Cuando su perro pueda llevar a cabo el «túmbate» estando ustedes situados cara a cara, retroceda uno o dos pasos. Dele la misma indicación visual/verbal para tumbarse. Una vez más, cuando adopte la posición, *clique*/elógiele y prémiele. Si no se coloca en la posición, acérquese a él un paso e inténtelo de nuevo. Si este pequeño acercamiento no ha supuesto una diferencia, vuelva al paso inicial, estando directamente enfrente de él.

Vaya ahondando en los éxitos, y no en los fracasos. Con cada incremento, vaya aumentando los criterios. Asegúrese primero de tener éxito a un paso, luego a dos, etc., y así hasta que logre su objetivo. Refuerce siempre con elogios y recompensas cuando trabaje con algo nuevo. Al final sólo tendrá que usar el elogio como puente, recompensándole cuando haya llevado a cabo una serie entera de ejercicios.

El próximo paso consiste en enseñar a su perro a que, en primer lugar, centre su atención en un objeto y que luego se siente y se tumbe. Esto constituye una serie de comportamientos que recibe el nombre de encadenamiento. Después de haber enseñado un comportamiento, puede encadenarlos a su gusto. Su perro ya conoce las indicaciones/órdenes y debería llevar a cabo cualquier comportamiento que le solicite. El encadenamiento pone verdaderamente a prueba los umbrales del comportamiento de un perro. Su perro aprenderá a llevar a cabo un par de conductas con un único puente, no recibiendo su recompensa hasta haber completado la cadena. Cuantos más comportamientos pueda realizar su perro sin extinguir su deseo de trabajar, mayor será su umbral de comportamiento. A medida que los perros progresan en su entrenamiento y aprenden a disfrutar de la actividad a cambio, simplemente, de la interacción y el ejercicio, más se irá desarrollando su umbral de comportamiento.

Ahora que su perro puede llevar a cabo el «túmbate» partiendo de estar sentado a una cierta distancia, deberá aprender a hacerlo mientras está en movimiento, que es lo que llamamos «túmbate al vuelo». Lo más probable es que esté en movimiento mientras juega, pastorea o corre hacia usted o durante las rutinas de obediencia. Un momento en el que puede resultar muy importante que se tumbe mientras está en movimiento es si empieza a acudir

hacia usted estando al otro lado de una calle y ve que se acerca un coche. Puede indicarle que se tumbe, para que así se quede quieto y a salvo en lugar de cruzar la calle en ese preciso momento. Si usted y su perro están llevando a cabo trabajo de terapia, podrían encontrarse con alguien que tenga miedo a los perros. Su perro puede tumbarse para así tener un aspecto menos amedrentador, tranquilizando así a la persona que se ha asustado.

El mejor punto de partida es mientras se está andando al pie. Cada 20 pasos, más o menos, dele la indicación visual/orden para que se tumbe mientras sigue usted avanzando. *Clique*/elógiele y recompénsele siempre en el momento en que el perro adopte la postura. Si no se tumba rápidamente al principio, no tema. Es, simplemente, un asunto de aclimatación al ejercicio. Su perro descubrirá que cuanto antes se tumbe, antes recibirá su recompensa. En esta fase puede ser de ayuda usar una tentación para que se detenga y se tumbe. Puede usar como objetivo su mano o el bastón-objetivo con un trozo de comida en el extremo. Esto le proporcionará un premio inmediato que, más adelante, podremos puentear y retrasar un poco.

Otra cosa que deberá enseñarle es a adoptar la posición de tumbado mientras usted se coloca en distintas posiciones: delante, detrás y a ambos lados de él. El bastón-objetivo será de utilidad, ya que, independientemente de donde se encuentre, la señal seguirá siendo la misma, con el bastón-objetivo señalando hacia abajo. Empiece desde muy cerca, para así poder volver a respaldar su orden si el perro no la entiende o no la obedece, para así poder guiarle para que lleve a cabo el comportamiento correcto mientras le elogia. Como siempre, es importante que no le dé más de una orden. Si a su perro le encanta la comida, seguirá a la golosina para colocarse en la posición de tumbado, especialmente si ya entiende este ejercicio. Cuando su perro aprenda a tumbarse cuando se lo ordene estando usted situado en cualquier lugar a su alrededor, vaya incrementando gradualmente la distancia. Recuerde trabajar en pequeños incrementos, usando la aproximación sucesiva al tiempo que puentea y premia cada paso.

Si su perro intenta seguir el bastón-objetivo, quizás quiera colocar un objetivo fijo en el lugar en el que le dirá que se tumbe. Esto le permitirá concentrarse en permanecer en ese lugar en lugar de seguirle a usted o al bastón-objetivo, que no deja de moverse en la distancia. Cuando haya llegado al punto en que su perro se desplace hacia usted y quiera que adopte la posición de tumbado mientras esté caminando, verá el objetivo y se tumbará cerca de él. No obstante, esto deberá irse eliminando, ya que en la vida real no puede ir colocando un objetivo en todos aquellos lugares en los que quiera que su perro se tumbe. Después de enseñar a su perro a llevar a cabo el quedarse quieto y luego volver hacia donde está usted (se habla de ello más adelante), puede dar otro paso con este ejercicio y hacer que se tumbe una vez le haya llamado para que acuda (o que se tumbe al vuelo). Todavía debe conseguir un par de comportamientos más antes de lograr este objetivo.

Para el adiestramiento a una cierta distancia, coloque un objetivo allá donde quiera que su perro se tumbe.

«Quieto»

Independientemente de la posición, el ejercicio de quedarse quieto se lleva a cabo usando el moldeo sucesivo de aproximación. Desde un segundo a diez minutos, todo se lleva a cabo en pequeños incrementos para así permitirnos tener éxito. Esfuércese siempre por permitir que su perro tenga éxito en todo lo que haga. Esto le animará a continuar trabajando, y esperará con ilusión estas sesiones de adiestramiento con usted. El entrenamiento debería ser divertido pa-

ra los dos. Cuando la diversión finalice, reexamine sus métodos. Quizás deba retroceder un poco para volver a obtener el éxito necesario, o puede que deba modificar su enfoque. En el caso del adiestramiento positivo, el error más frecuente consiste en ir demasiado deprisa o no mostrar, desde un buen principio, los ejercicios de forma correcta.

Los ejercicios de quedarse quieto deben iniciarse con incrementos de tiempo muy pequeños. Sus criterios consistirán

Dé un paso hacia delante con el pie derecho mientras le da la indicación manual del «quieto.»

en cortos incrementos que avancen segundo a segundo, aumentando gradualmente el número de segundos con cada ejercicio. No espere que su perro se quede quieto durante diez segundos en el primer par de intentos. Diez segundos quizás no parezca mucho... hasta que empiece a enseñarle el ejercicio de «quieto». Algunos perros pueden sorprenderle y quedarse quietos, de repente, durante bastante tiempo, pero esta no es la mejor fórmula para el éxito futuro. Empiece, simplemente, con dos segundos y vaya aumentando a partir de aquí. Quizás parezca demasiado fácil, pero así debería ser. Fácil significa exitoso. El éxito implica alegría durante el trabajo y el deseo de continuar.

Empezaremos con el siéntate/quieto. Practique este ejercicio tanto mientras está delante de su perro como a partir de la posición de andar al pie. Use la misma indicación visual y la orden verbal independientemente de donde se en-

El que el perro centre constantemente la atención en un objeto es de ayuda para que mantenga la postura de sentado/quieto.

cuentre cuando le dé la orden. Empiece con su perro en la posición de sentado. Asegúrese de elogiarle en cuanto se siente. Lleve a cabo su indicación visual delante de su cara mientras le da la orden para quedarse quieto. Su orden visual debería consistir en algo claramente identificable, como por ejemplo la pal-

Cuando su perro fije la atención, dele la orden de «quieto» junto con la indicación visual.

Haciendo que el perro centre su atención en un bastón mientras realiza el «quieto».

ma de la mano con los dedos abiertos. Preceda siempre la orden con el nombre de su perro.

Si está enfrente de su perro, quédese delante de él. Si está en la posición de andar al pie, dé un paso para colocarse directamente delante de él, usando la pierna contraria a la que usa al iniciar el ejercicio de andar al pie. Por ejemplo, si al andar al pie da el primer paso con la pierna izquierda, entonces dé un paso para colocarse enfrente de él con la pierna derecha cuando lleve a cabo el ejercicio de quedarse quieto.

Mantenga el objetivo cerca de la trufa de su perro. Mientras permanezca quieto, con la trufa sobre el objetivo, alábele. Después de sólo dos o tres segundos, *clique*/elógiele y prémiele. Luego continúe con el ejercicio de andar al pie o dele una pausa. Haga algo distinto a intentar hacer que siga sentado.

Al cabo de unos pocos minutos, lleve a cabo de nuevo el ejercicio de quedarse quieto. Esta vez, haga que su perro mantenga la posición durante cinco segundos antes de puentear y recompensarle. Finalice siempre el ejercicio de

El centrar la atención en una golosina durante el ejercicio de «quieto» ayuda a los cachorros a estar concentrados y aprender.

Centrar la atención en una recompensa ayuda al perro a mantener la posición de sentado/quieto mientras se mueve a su alrededor.

Que el perro centre su atención en un bastón también es de ayuda para enseñarle a mantener el sentado/quieto mientras se desplaza a su alrededor.

da mantener la postura y se levante. Si se encuentra con este caso, retroceda un poco, hasta los 20 segundos. Hágalo durante varias sesiones de adiestramiento, animando a su perro mediante el éxito, en lugar de con su continua recolocación. Debería enseñarle todo en pasos graduales. Recuerde el dicho: «Zamora no se hizo en una hora», y que Rin Tin Tin y Lassie no aprendieron a salvar vidas después de una única sesión de adiestramiento. Lleva tiempo perfeccionar las cosas. Tómese su tiempo y hágalo bien.

quedarse quieto pasando a hacer alguna cosa distinta. No permita que su perro se levante por su cuenta. Si en cualquier ocasión su perro se levanta mientras están realizando el ejercicio de quedarse quieto, tiéntele de nuevo para que adopte esta postura con el objetivo o con comida y repita la orden de «quieto», completándola con una indicación visual. Mientras esté llevando a cabo los primeros ejercicios de «quieto», que sólo durarán unos segundos, no será probable que su animal se levante, pero cuando vaya incrementando el tiempo es posible que suceda.

Quizás haya un punto (digamos los 30 segundos) en el que su perro no pue-

Una vez que su perro pueda mantener el siéntate/quieto durante por lo menos 45 segundos, podrá empezar a añadir su movimiento a los criterios. Al igual que con cualquier otra cosa, esto debería llevarse a cabo usando la aproximación sucesiva, añadiendo gradualmente más y más movimiento con cada ejercicio de «quieto». Empiece a moverse de un lado a otro mientras está enfrente de su perro, dando un solo paso en cada dirección; vuelva a la posición de andar al pie, *clique*/elógiele y recompénsele. Para animar a su perro a quedarse quieto, alábele todo el tiempo. De este modo, estará reforzando mediante los elogios, lo que hará que mantenga la atención puesta en usted y le convencerá de estar haciendo lo que quiere de él.

Una vez pueda moverse de un lado a otro enfrente del perro, pase a situarse a cada lado del animal y por último detrás de él.

Una vez haya tenido éxito al introducir sus movimientos cerca del perro mientras éste mantiene la postura de sentado/quieto, vaya alejándose gradualmente de él.

Al final podrá caminar dando una vuelta completa alrededor del perro.

Si este primer intento con el movimiento ha tenido éxito, pase a la siguiente fase y desplácese dos pasos en cada dirección. Una vez más, elógiele todo el rato, clique y prémiele al volver a la posición de andar al pie. Una vez que su perro lo haga bien mientras usted se mueve de un lado a otro delante de él (estando cerca de él, no lo olvide), empiece a desplazarse a su lado, por ambos lados. Vaya incrementando gradualmente su movimiento a cada ejercicio exitoso del «quieto». Si, en cualquier momento, se levanta y debe usted recolocarle en la posición estática, retroceda unos cuantos pasos y reconstruya el ejercicio a partir de aquí.

Cuando tenga éxito desplazándose a cada lado de su perro, podrá pasar a moverse completamente a su alrededor. Asegúrese de ir alternando la dirección

para que su perro no se acabe acostumbrando a sólo una dirección. A medida que vaya estirando este movimiento a lo largo del ejercicio de «quieto», siga elogiando a su perro, luego vuelva a la posición de andar al pie o pase a ordenarle otra cosa justo después de clicar y darle su premio.

Ahora que ha enseñado a su perro a quedarse sentado durante más de un minuto mientras da vueltas a su alrededor, puede empezar a añadir otro factor: la distancia. Después de todo, ¿de qué sirve el ejercicio de «quieto» si no puede alejarse? Si su perro es de fiar quedándose quieto sentado mientras se mueve a su alrededor, este criterio añadido de la distancia no debería representar un problema. Sin embargo, si su perro es inseguro o tiene problemas del tipo ansiedad por separación, intentar ir incrementando la distancia puede resultar difícil. Deberá avanzar algo más lentamente, prestando especial atención al momento en que su perro empiece a no obedecer.

Al igual que se movía alrededor de su perro con incrementos graduales, aumentará la distancia con el mismo método. Empiece llevando a cabo el ejercicio de siéntate/quieto al nivel al que su perro está acostumbrado. Quédese cerca y camine a su alrededor en ambas direcciones. Intente caminar por lo menos tres veces a su alrededor antes de puentear y continuar con otro ejercicio. Esto le asegurará que su perro estará preparado para el siguiente nivel de trabajo a distancia.

En el primer intento, aléjese de su perro sólo uno o dos pasos. No dé los pasos rectos hacia atrás y luego camine a su alrededor. Si da los pasos hacia atrás, puede provocar que el perro se levante y acuda hacia usted, ya que le habrá proporcionado un lenguaje corporal similar al usado en la orden de «ven». Para evitar este malentendido, y para hacer que su movimiento no resulte tan obvio, incremente gradualmente la distancia mientras camina a su alrededor. Elógiele durante todo el tiempo.

Cuando haya dado una vuelta completa por lo menos una vez, puentee y alábele, y luego pase a hacer cualquier otra cosa. La próxima vez, incremente la distancia unos pocos pasos más e intente dar un par de vueltas a su alrededor. Al cabo de cinco o seis ejercicios de siéntate/quieto, debería poder estar a un par de metros de su perro mientras camina a su alrededor. Después de varias semanas de práctica constante, debería poder incrementar esta distancia hasta los 10-13 metros en el interior de su zona vallada.

Si su perro tiene problemas para quedarse quieto mientras se aleja, use el bastón-objetivo. Empiece situándolo a la altura de su trufa mientras se mueve en torno a él, incrementando gradualmente la distancia. Cuando llegue al punto en que ya no pueda mantener el bastón pegado a su trufa, colóquelo sobre un objeto como un taburete, con el extremo cerca de su perro. Quizás su perro sólo necesite algo en lo que centrar su atención, y el bastón-objetivo debería lograrlo. Sabe que cuando fija su atención en un objeto va a recibir un premio. El que centre su atención constantemente en un objeto mientras se mueve a su alrededor le enseñará a quedarse quieto en lugar de volverse inseguro cuando no esté a su lado. No obstante, deberá puentear y recompensarle con más frecuencia, ya que sin este refuerzo constante su perro podría sentirse inseguro.

Todo lo que ha hecho en el ejercicio de siéntate/quieto también servirá para el siguiente ejercicio, el de tumbado/quieto. Una vez que su perro esté tumbado, muéstrele la indicación visual delante del rostro, junto con su objetivo, mientras le pide que se quede quieto. Haga que permanezca así sólo unos pocos segundos y luego clique y prémiele. Haga que abandone la posición de tumbado haciendo que avance andando al pie o dándole un recreo del trabajo. Si su perro tiene alguna dificultad con esta posición, lo mejor sería que le ofrezca

A veces, el tocar a su perro mientras se desplaza a su alrededor será suficiente para animarle a quedarse sentado/quieto.

Una vez se haya completado el ejercicio de «quieto», pase a otro ejercicio, como el de andar al pie.

tantas recompensas como sea posible en la posición de tumbado y que le proporcione tiempo libre de inmediato, ofreciéndole también su premio en forma de caricias. Deberá hacer que este comportamiento sea una de las cosas más positivas que pueda hacer su perro. De esta forma, aprenderá a ignorar su instinto de conservación y se tumbará, ya que el resultado será muy positivo.

Al principio quédese, simplemente, en la posición de andar al pie con la mano cerca de las escápulas de su perro. Esto le permitirá volver a colocarle en la posición de tumbado si intenta levantarse. Si intenta levantarse constantemente, debería acortar la duración del túmbate/quieto y volver al punto en el que se quedaba quieto mientras tenía la atención fijada en un objeto. A veces deberá hacerlo de esta forma durante unos pocos días más antes de alejar el objetivo mientras permanece quieto.

Vaya moldeando gradualmente el túmbate/quieto de su perro hasta que pueda quedarse en ese punto durante un minuto. Esto nos asegurará un comportamiento firme antes de añadir otros criterios. Si avanza demasiado rápido, todos los castigos positivos necesarios para hacer que su perro vuelva a adoptar la posición de tumbado podrían proporcionarle un sentimiento negativo respecto al ejercicio. Le irá mejor tomarse su tiempo.

Cuando llegue al punto en que su perro pueda quedarse tumbado un minuto, podrá empezar a moverse a su alrededor. La principal diferencia entre el siéntate/quieto y el túmbate/quieto es que, en el caso del túmbate/quieto, debería empezar con el movimiento por detrás de su perro en lugar de por delante de él, como en el siéntate/quieto. Para asegurarse de que su

Empujar las caderas del perro hacia a un lado ayuda a que el ejercicio de tumbado/quieto le resulte más cómodo y pueda mantenerlo durante más tiempo.

perro se quedará quieto, quizás quiera echar sus caderas a un lado. Esta posición hará que levantarse le cueste un poco más, proporcionándole así algunas pistas visuales si se va a levantar. Como dispondrá de algo más de tiempo para tentarle para que adopte la posición de nuevo, podrá evitar que desobedezca la orden, asegurándose así de que comprende totalmente el significado del túmbate/quieto, cuando use el castigador secundario («No») en un tono de voz suave.

Los primeros intentos de moverse deben llevarse a cabo a lo largo de la parte lateral del perro. Dé unos pocos pasos hacia su parte posterior y luego vuelva a la posición de andar al pie. Elógiele durante todo el tiempo en que se quede en la posición de tumbado. Esto le reforzará, sin dar por concluido el ejercicio. Cuando esté preparado para finalizar el ejercicio, clique y recompénsele, y luego continúen con alguna otra cosa. La próxima vez, intente desplazarse hasta acabar detrás de su perro. Alábele durante todo el tiempo que permanezca en su sitio y luego vuelva a colocarse a su lado, *clique*, dele su premio y pasen a llevar a cabo otro comportamiento.

Cuando su perro pueda quedarse tumbado/quieto mientras camina a su lado y por detrás de él, intente dar la vuel-

Un bastón-
objetivo será de
ayuda durante el
tumbado/quieto.

En el ejercicio de
tumbado/quieto,
desplácese por
detrás de su perro
antes de colocarse
delante de él.

Recompense a su perro mientras permanece en la posición de tumbado/quieto.

Caminar alrededor de su perro es un gran ejercicio para ponerle a prueba de las distracciones.

ta hacia el otro lado de su cuerpo. Una vez haya aprendido a quedarse en su sitio a este nivel de criterios, clique, recompénsele y continúe. Al cabo de unos pocos ejercicios de tumbado/quieto, debería poder dar toda la vuelta alrededor de su perro e ir incrementando gradualmente la distancia a la que se encontrará de él mientras le ofrece su recompensa secundaria (los elogios) durante todo el rato que dure su buen comportamiento. Sus alabanzas animarán a su perro a quedarse en su sitio, ya que sabe que se trata de lo correcto para así recibir el premio definitivo: el *click* y la golosina (o el juguete).

Si su perro tiene alguna duda sobre quedarse en la posición de tumbado/quieto, intente usar el bastón-objetivo igual que hizo con el ejercicio de sentado/quieto. Un bastón lo suficientemente largo le permitirá mantener el objetivo cerca de su trufa mientras da una vuelta completa a su alrededor.

Ahora que el perro llevará a cabo los siéntate/quieto y túmbate/quieto, puede añadir otra parte al comportamiento de tumbarse al vuelo o tumbarse al volver hacia usted. Haga que su perro adopte la postura de sentado/quieto, camine delante de él y pídale que lleve a cabo el túmbate/quieto. Con cada «túmbate» sucesivo, incremente gradualmente la distancia a la que se encuentra de él (en cualquier dirección) con cada reacción exitosa. Vaya progresando lentamente para asegurarse de que el proceso siga siendo positivo. Mézclelo, además, con la práctica de otros ejercicios para que no los olvide. Cuanto mayor sea la variedad, más atento permanecerá su perro.

Al cabo de poco tiempo, debería poder desplazarse completamente alrededor de su perro.

A continuación, haga que su perro lleve a cabo un túmbate/quieto mientras practica que el perro se tumbe mientras anda al pie. Realice el ejercicio de tumbarse al vuelo, luego dígale que se quede quieto, y camine a su alrededor. Vuelva a la posición de andar al pie, clique y recompénsele. No practique esto más de tres veces seguidas sin pasar a hacer alguna otra cosa. No querrá crear este patrón para cada parada. Todo el proceso de tumbarse al acudir hacia usted surgirá una vez enseñe a su perro a acudir hacia usted al ser llamado (ven/vuelve), cosa que explicamos en el siguiente capítulo.

Para que se tumbe cuando le dé la orden mientras esté andando al pie, diga a su perro que se tumbe usando el bastón-objetivo para tentarle a que adopte la posición.

A un perro que acuda al ser llamado se le puede dar más libertad para que corra suelto en zonas seguras.

«Ven/vuelve» y enseñarle a ignorar las distracciones

UN VEN/VUELVE FIABLE

Enseñar a su perro a que acuda hacia usted cuando le llame (ejercicio de «ven/vuelve») es una de las lecciones más importantes para él. Si su perro obedece fiablemente esta orden, obtendrá una mayor libertad y usted confiará más en él. Puede ir al parque y permitir que su perro corra y juegue. Puede llevarle a la playa y dejarle nadar. Puede ir de excursión y dejarle jugar a su lado por el bosque. Las posibilidades son inagotables. El prin-

Incluso los cachorros jóvenes pueden aprender a acudir con fiabilidad cuando se les llame.

Inclinarse hacia delante mientras da pasos hacia atrás invitará al perro a ir hacia usted.

corporal invitador y un tono de voz alegre (deberá usar estas dos últimas cosas siempre que llame a su perro). El cebo puede consistir en comida o en un juguete, o, simplemente, en que esté usted en una posición baja (en cuclillas) y en su voz invitadora. Asegúrese de practicar este ejercicio desde cualquier posición de «quieto», además de durante el tiempo de recreo de su perro. Variar las condiciones reforzará las respuestas futuras.

El siguiente obstáculo a batir será la distancia. Empiece apartándose medio metro, ya que con esto se asegurará el éxito. Empiece mostrando el objetivo a su perro. Puentee y recompénsele cuando lo toque con la trufa. Vaya aproximando el objetivo hacia usted mientras se agacha o se coloca en cuclillas para ponerse a su altura. Hable en un tono de voz suave cuando le dé la orden de «ven». Su perro lo aprenderá rápidamente, ya que todo esto le resulta muy atractivo. Cuando el animal responda, elógiele. Cuando llegue hasta sus pies, *clique* y prémiele.

La próxima vez, incremente la distancia hasta un metro. Una vez haya tenido éxito, incremente la distancia hasta el metro y medio. Vaya aumentando gradualmente la distancia con cada logro. Asegúrese que el «ven» es constante y fiable desde todas las posiciones y a una determinada distancia antes de pasar a una separación mayor. Su perro debería acudir hacia usted independientemente de la dirección desde la que esté llamándole. Haga que la llegada de su perro sea lo más agrada-

cipal beneficio es, no obstante, la seguridad de su perro.

Su perro deberá acudir hacia usted independientemente de lo que esté haciendo y sin importar desde donde le esté llamado y las distracciones que tenga cerca. Para conseguir este objetivo, deberá fraccionarlo en porciones mucho menores. El primer paso consiste en llevar a cabo el ejercicio de «ven» desde una corta distancia y en una zona sin distracciones. Asegúrese de que su perro está sujeto por su correa para así poder respaldar su orden (mostrarle la respuesta correcta) si algo le distrae. Lo más probable es que no deba aplicar ningún castigo positivo si usa una tentación acompañada de un lenguaje

Cuando el perro le mire, *clique*.

ble posible, para que así sepa siempre que acudir hacia usted es lo mejor que puede hacer.

Si está practicando con la correa puesta, como debería siempre que practique un ejercicio nuevo, cerciórese de no ejercer ninguna presión con ella al desplazarse alrededor de su perro. La más ligera presión puede hacer que su perro abandone la posición de «quieto» antes de que le dé la orden para acudir hacia usted. Le llevará algo de tiempo y de condicionamiento enseñar a su perro a no moverse cuando note tirones en la correa. Todavía no ha llegado a este punto, así que proceda con cuidado.

Practicar el «ven/vuelve» sin la correa será complicado, ya que no dispone de medios de apoyo a su orden ni forma de evitar que su perro desvíe su atención hacia otra actividad. Lleve a cabo únicamente el «Ven» sin la correa puesta si se encuentran en un entorno cerrado, donde podrá volver a atraer la atención de su animal rápidamente.

A medida que su perro aprenda a acudir desde distancias cada vez mayores, pase a usar una correa más larga y liviana. Le recomiendo una de algodón y de unos 6 metros de largo. El algodón es fácil de sujetar y de limpiar y, créame: deberá limpiarla frecuentemente, ya que será arrastrada por la tierra, el barro y lo que haya en el suelo. Sin embargo, no haga que la correa tenga una longitud mayor que la que pueda manejar. Lleva práctica recoger una correa larga. He podido comprobar que recogerla enrollándola entre la mano y el codo, ayudándose de la otra mano (como cuando recoge una manguera larga) es lo mejor. Así podrá recogerla rápidamente sin que se formen nudos, y así no la tendrá en medio cuando su perro acuda hacia usted. Si el animal le viera «jugando» con la correa, lo más seguro es que quisiera apuntarse a la diversión.

Le recomiendo que lleve su *clicker* en la mano derecha, junto con el extremo de la correa. Si el *clicker* dispone de una pulsera, mucho mejor. Use la mano izquierda para ir dando y recogiendo correa, de modo que tenga entre 60 y 90 cm de correa entre sus manos. Con esta táctica, podrá recoger toda la correa con tres o cuatro movimientos y no se formarán nudos ni se liará. Además, podrá puentear a su perro a su llegada justo delante de usted en el momento exacto.

TRABAJAR CON DISTRACCIONES

Una vez que su perro lleve a cabo el «ven/vuelve» de forma fiable tanto dentro como fuera de casa en un lugar tranquilo y cerrado, empiece a añadir algunas pequeñas distracciones. Deje algunos de sus juguetes esparcidos por el suelo. Pida ayuda a un amigo o un familiar y pida a esta persona que pase cerca, aplauda, se dé palmadas en las piernas, haga ruido y, por último, vaya lanzando los juguetes. Cada distracción deberá introducirse de forma graduada. Por ejemplo, su perro debe aprender a escuchar mientras sus juguetes están presentes. Cuando comprenda que debe prestar-

IZQUIERDA:
Estire la correa
entre sus manos.
DERECHA: Recoja
toda la correa en
una mano.
Repítalo.
ABAJO:
Siga recogiendo
correa hasta que
la tenga toda
enrollada, en
círculos, en una
mano.

le atención en lugar de prestarla a los juguetes, podrá añadir una persona. El siguiente paso es que esta persona camine. Siga trabajando mientras la persona pasea alrededor de ustedes y silba o da palmadas. A continuación, haga que la persona corra a su alrededor, y luego pídale que coja los juguetes y los deje caer. Una vez conseguido esto, la persona lanzará los juguetes: al principio lejos del perro y cada vez más cerca de él a medida que el animal ignore los juguetes y centre su atención en usted. Una vez hayan tenido éxito con las distracciones de los juguetes, llegará el momento de hacer que las cosas sean realmente difíciles: trabajar en presencia de otros perros. Frecuentemente, esta será la distrac-

Los juguetes representan una gran distracción durante el ejercicio de «ven/vuelve».

ción (aparte de, quizás, un gato, una ardilla o un conejo). El otro perro debería estar versado en los ejercicios de poner a prueba las distracciones provocadas por otro perro. Si no es así, las cosas serían mucho más difíciles, ya que ambos perros querrán jugar el uno con el otro.

Empiece con el otro perro a una distancia lo suficientemente alejada como para que su perro no se fije mucho en él. Vaya haciendo que, gradualmente, el otro perro se vaya acercando más y más. Cuando su perro empiece a mirar al otro, haga que el animal distractor se quede a esa distancia y no se acerque más. Para mantener la atención de su perro deberá moldear su respuesta con respecto a usted. Cuando le mire, *clique* y prémiele. Cuando no le mire, haga al-

go que provoque que le vuelva a prestar atención.

Suele suceder que, al verse enfrentado a una distracción muy deseable (como, por ejemplo, otro perro), ninguna cantidad de golosinas, promesas de ellas, juguetes o engatusamientos funcionarán para hacer que su perro vuelva a prestarle atención. Incluso los castigadores negativos no surtirán efecto. (A su perro le dará igual si le ignora o si le retira su premio). La única cosa que podría funcionar en esta situación es un castigador positivo, como el uso de un arnés para la cabeza o la aplicación de presión en su morro, o un collar como los de púas que le recuerden que es a usted a quien debe prestar atención. La herramienta que use dependerá de su habilidad y de su perro.

otra parte, aplique el castigo positivo. También debería usar su voz a modo de refuerzo positivo y de castigo. Cuando su perro le mire, elógiele, y cuando no le mire, pronuncie su palabra de corrección en un tono de voz grave. Al final, todo lo que necesitará es su voz, pero al principio deberá reforzar el comportamiento con el puente, la recompensa y el castigo positivo, usados en el momento adecuado y aplicados correctamente.

Antes de pasar a trabajar con la correa larga, asegúrese de que pueda llevar a cabo este ejercicio, con todas las distracciones posibles, con su co-

Una tentación en forma de comida puede mantener la atención de su perro mientras trabajan rodeados de distracciones.

Aunque se puede enseñar a la mayoría de los perros a prestarle atención con un arnés para la cabeza, independientemente de la distracción, hay algunos que nunca se acostumbrarán a llevarlo puesto. Si se encuentra en esta situación, consulte con un adiestrador canino profesional, que le podrá decir qué tipo de utensilio usar y le podrá enseñar cómo usarlo adecuadamente sin provocar daños físicos ni psicológicos a su perro.

Una vez hayan logrado estar a una cierta distancia, vaya reduciéndola gradualmente. Cuando su perro le mire, *clique* y recompénsele. Si mira hacia

A medida que el perro vaya siendo más fiable, los meros elogios mantendrán su atención.

Practique el «ven/vuelve» desde la posición de tumbado/quieto.

rrea de dos metros. No tiene por qué esforzarse por controlar una correa que le ocupa toda la mano mientras intenta poner a su perro a prueba de distracciones. Es importante señalar que el poner a prueba de distracciones puede moldearse con cualquier orden, y no sólo con la de «ven/vuelve». En primer lugar, su perro debe comprender a la perfección cada ejercicio. Luego añada gradualmente las distracciones como hemos comentado. Su perro llevará a cabo cualquier cosa que le pida, independientemente de lo que suceda a su alrededor. Todo esto lleva tiempo, paciencia y muchísimas repeticiones: practique, practique y practique.

TUMBARSE MIENTRAS ACUDE HACIA USTED

Ahora que todas las piezas encajan,

podremos unirlas en el ejercicio de que su perro se tumbe mientras acude hacia usted. Simplemente un recordatorio: retroceda y practique siempre un ejercicio con el que usted y su perro se sientan cómodos y tengan éxito antes de empezar con algo nuevo. Esto hará que cada sesión de adiestramiento empiece de forma positiva, y su perro recibirá muchos elogios y recompensas. Habrá dos ejercicios en los que ahondará: el «tumbarse al vuelo» y el que se tumbe a una cierta distancia.

En primer lugar, practicaremos el «tumbarse al vuelo». Tras haber conseguido que su perro se tumbe mientras están caminando, dígale que se quede quieto. Apártese de su lado y camine a su alrededor. Deténgase en cualquier lugar de su alrededor y haga que acuda hacia usted. Eso asentará el

En el ejercicio de tumbarse al indicarle que venga/vuelva, dé a su perro las indicaciones verbales y visuales de la orden de «túmbate» justo antes de que llegue hasta donde está usted.

Inicie el ejercicio de «ven/vuelve» desde la posición de tumbado/quieto a sólo una corta distancia del perro.

mientras se va alejando un poco. Haga que su perro acuda hacia usted. Elógiele mientras está acudiendo hacia usted. Justo antes de su llegada, dele la señal y la orden para tumbarse. Si adopta directamente la posición de tumbado, clique/alábele y prémiele. Si no es así, camine hacia él y ayúdele a adoptar la posición mediante una tentación y/o colocándole en la misma, elogiándole siempre al adoptar la posición. Si ha tenido que ayudar a su perro para que se tumbe, debería volver a practicar el ejercicio de tumbarse a una cierta distancia. Una vez que su perro pueda llevar a cabo la acción de tumbarse a uno o dos pasos de usted mientras acude hacia usted, intente ganar un poco de distancia pidiéndole que se tumbe antes, cuando esté más lejos de usted. Con cada respuesta correcta, *clique*/elogie y recompense.

También puede usar su bastón-objetivo para ayudar a su perro a comprender dónde tumbarse. El ejercicio de tocar puede ser muy útil. Coloque a su perro en la posición de sentado/quieto. Aléjese y elógiele mientras permanezca en esta postura. Coloque el bastón-objetivo o el *Alley Oop* donde quiera que su perro se tumbe. Indíquele que toque el objeto y clique/alábele y prémiele al alcanzar el

que vaya hacia usted desde la posición de tumbado independientemente de lo que estuviera haciendo antes de tumbarse.

En segundo lugar, llevarán a cabo el «ven/vuelve» desde la posición de tumbado/quieto. Haga que su perro lleve a cabo el «siéntate/quieto», aléjese un poco y dele la señal para el «túmbate/quieto» Aléjese un poco más y haga que acuda hacia usted.

¡Genial! ¡Ya lo tenemos! Ahora moldearemos el «tumbarse mientras acude hacia usted». Haga que su perro adopte la posición de sentado/quieto o tumbado/quieto. Elógiele, pero no *clique* todavía. Aléjese. Muévase a su alrededor objetivo. Aléjese y elógiele mientras se mantenga en la posición de tumbado/quieto. Llámele para que acuda hacia usted, clique/elógiele y recompénsele.

Vaya avanzando, alejándose gradualmente del bastón-objetivo, al tiempo que él se levanta, va hacia el bastón, lo toca y luego se tumba, tras lo cual le dirá que acuda hacia usted, momento en el que recibirá el puente y la recompensa. Si se produce cualquier confusión en este proceso, retroceda uno o dos pasos y divida el ejercicio en metas menores. Intentar que el animal avance demasiado rápido puede provocar que ya no disfrute. A su perro debe encantarle lo que hace para así poder aprender con entusiasmo y esperar con ilusión las sesiones de adiestramiento futuras. Haga que todo resulte sencillo, que sea breve y que resulte positivo.

Con el perro en la posición de sentado/quieto, aléjese y coloque el bastón-objetivo en el lugar donde quiera que se tumbe al acudir hacia usted.

El refuerzo positivo
en la vida diaria

El adiestramiento con el refuerzo positivo es extremadamente útil para permitirle remodelar el comportamiento de su perro y así eliminar su mala conducta y hacer que aparezca una buena. Prácticamente cada cachorro y cada perro nuevo pasará por fases en las que intentará obtener algún tipo de gratificación pidiendo, de forma molesta, que le presten atención. Desgraciadamente, las cosas que intente pueden resultar destructivas de un modo u otro, peligrosas para él y para usted o, simplemente, irritantes.

Así funciona: el animal intentará algo nuevo. Si esto le proporciona algún tipo de recompensa, continuará con ese comportamiento. Si no la obtiene, la conducta se extinguirá. El resultado final depende de usted. Puede moldear su comportamiento premiándole por las cosas que quiere que haga o no darle un premio o incluso castigarle si hace algo que no le gusta. El castigo positivo sólo debería emplearse si se muestra muy obstinado con un cierto comportamiento y ningún castigo negativo ha funcionado. No podrá, simplemente, ignorar que el animal muerda sus zapatos y robe la comida de la mesa de la cocina durante demasiado tiempo. En este capítulo hablaremos sobre problemas comunes con los que pueden encontrarse los propietarios y cómo tratarlos.

EDUCACIÓN BÁSICA

Hay una forma fácil y otra difícil para la educación básica de su cachorro o su perro adulto (no asuma que un perro adulto adoptado ya habrá recibido su educación básica). Si quiere hacerlo de la forma fácil, esté atento y sea constante, ya que si no irá de cabeza hacia la forma difícil, lo que impli-

El adiestramiento de jaula es de ayuda en la educación básica, la seguridad y unos buenos hábitos higiénicos.

ca castigos, una mala actitud y la inevitable frustración.

Su diligencia en lo que respecta a la educación básica valdrá mucho la pena. Su perro aprenderá más rápidamente y asentará un patrón más sólido para las conductas futuras. También hará que su cachorro adopte una mentalidad positiva y que tenga menos probabilidades de desarrollar una «sensación de culpa». Con ello me refiero a la actitud de agacharse debido al miedo cada vez que entre usted en la habitación. Sí: los perros tienen muy buena memoria. Si se han asentado unos parámetros y su perro se ciñe a ellos, se acordará cuando haga algo mal. Muchos perros intentaran evitar la zona de la que recibieron el castigo. Esto es un ejemplo de sensación de culpa.

Puede aplicar su trabajo de moldeo con facilidad al hecho de enseñar al cachorro dónde hacer sus necesidades. Es tan fácil como llevarle al lugar deseado, darle la indicación para evacuar una y otra vez y, cuando haga sus necesidades, *clicar*/elogiarle y premiarle. Lo mejor es llevarlo a cabo cuando esté seguro de que va a tener éxito, como por la mañana, después de haber estado «aguantándose» durante toda la noche (dentro de su jaula, por supuesto). ¡Vaya!, pero creo que he dado un salto demasiado grande. Hay pasos más pequeños que quizás necesite dar antes de llevar a cabo este. Empecemos por desglosar el adiestramiento de jaula pieza por pieza.

Adiestramiento de jaula: no, no es nada cruel. De hecho es muy humanitario. La jaula simula un refugio en el que

su cachorro puede sentir las paredes que le rodean. Nada asusta más a un perro que estar encerrado en un lugar sin sentir las paredes de su refugio. La mayoría de los comportamientos destructivos se dan en estas circunstancias, como cuando está encerrado en una habitación, en una perrera pequeña de exteriores o atado a un poste. El perro está en el interior de un lugar, pero no se siente seguro. En una jaula, el cachorro se siente seguro: nada le puede atacar desde detrás porque siente la solidez de la jaula. Sin embargo, puede ver lo que se acerca. Se trata de una respuesta instintiva.

Pasemos, pues, al adiestramiento de jaula. Si el cachorro no quiere meterse por su cuenta, deberá enseñarle a entrar en ella al ordenárselo. Recuerde que se trata del refugio de su perrito. No olvide que es el lugar seguro de su cachorro y no un lugar de castigo. Nunca meta al perrito en su jaula para castigarle. Hágale sentir siempre que ésta es un lugar alegre. Empiece con la puerta de la jaula completamente abierta. Siéntese en

Al principio debe permitir que su cachorro salga de la jaula siempre que lo desee y esté usted ahí para vigilar.

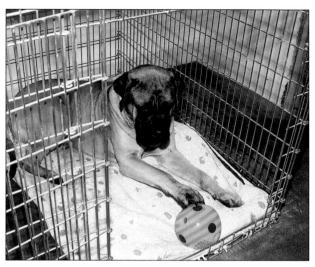

Los perros se sienten seguros en su jaula, que es su «guarida» personal.

el suelo, cerca de ella y coloque unas golosinas a su entrada. Cuando su cachorro vaya hacia ellas, *clique* y alábele. Haga esto cada vez que vaya a por una recompensa.

Ahora coloque la golosina justo en el interior de la abertura de la jaula. Cuando vaya a coger el premio, *clique* y elógiele. Vaya colocando la recompensa cada vez más en el interior de la jaula. *Clique* y elógiele siempre cuando coja la golosina. Al cabo de un corto periodo de tiempo, el cachorro creerá que la jaula es como una máquina dispensadora de premios: ¡un lugar fantástico!

Ahora añada una orden para este comportamiento, como «¡A la jaula!». Debería decirlo en un tono de voz alegre, como invitando al perrito a participar en un juego. Después de todo, él va a entrar en la máquina dispensadora de golosinas, así que será algo genial. Tan pronto como el cachorro entre, *clique*, alábele y eche una recompensa en el in-

terior. Repita esto unas cuantas veces, hasta que el perrito aprenda que quizás no reciba el premio en cuanto entre en la jaula, sino quizás unos pocos segundos más tarde, después de entrar y girarse para mirarle. He ahí lo bonito del «puenteo»: él sabe que la golosina está en camino, y ya no es necesario tentarle para que lleve a cabo el comportamiento.

Una vez que su perro se sienta cómodo entrando en la jaula por su cuenta, será el momento de añadir el cierre de la puerta de la misma. Ciérrela un ratito: por ejemplo cinco segundos. Clique/alabe, abra la puerta y dé al cachorro un premio. La próxima vez añada cinco segundos más. Repita el ejercicio, con incrementos de cinco segundos cada vez. Si el perrito empieza a mostrarse nervioso, intente clicar y elogiarle mientras está dentro de la jaula y échele una golosina. De este modo sabrá que permanecer tranquilo mientras esté en la jaula también le reportará premios.

El próximo paso consiste en alejarse. Use la aproximación sucesiva, como la utilizada para los ejercicios de «quieto». Empiece poniéndose de pie. Si el perrito se queda tranquilo, *clique*/elógiele y recompénsele. A continuación camine a uno y otro lado, por la parte delantera de la jaula. Una vez más, si el cachorro se queda calmado, *clique*/alábele y prémiele. Si no es así, retroceda al paso previo y trabájelo un poco más. Incremente gradualmente su movimiento y la distancia a cada ejercicio completado con éxito. No quiera hacer demasiado de una sola vez, o el perrito se volverá ansioso. Lo que quiere es que ésta sea una experiencia agradable, y no una que el animal quiera evitar.

Con la aceptación, por parte del animal, de que no esté usted cerca de la jaula, lo que deberá hacer es enseñarle a quedarse tranquilo cuando salga de la habitación. Empiece dejándole solo un par de segundos. Vuelva, *clique*/elógiele y eche una golosina en la jaula. También puede dejarle salir unos minutos y volver a practicar el ejercicio de «¡A la jaula!» unas pocas veces. Siempre es bueno mezclar ejercicios fáciles con cosas nuevas para mantener una actitud positiva.

Vaya incrementando gradualmente el tiempo que pasará fuera de la habitación, volviendo siempre y ofreciendo al cachorro el puente, los elogios y la recompensa. Cada vez que practique el adiestramiento de jaula, incremente la cantidad de tiempo que estará fuera de la habitación. Al cabo de unos pocos días, el perrito se sentirá seguro en su refugio y podrá quedarse en su interior mientras usted va a hacer gestiones fuera de casa. La jaula será también su dormitorio nocturno, y así aprenderá a controlar su intestino y su vejiga hasta que le dejen salir. Pocos perros ensuciarán su refugio: éste es otro comportamiento instintivo. La única ocasión en la que esto no sucederá será en el caso de aquellos perros a los que nunca se deja salir para que hagan sus necesidades: habrá aprendido a evacuar en el interior de su jaula. Esto también puede aplicarse en el caso de un perro que haya estado encerrado en la jaula durante

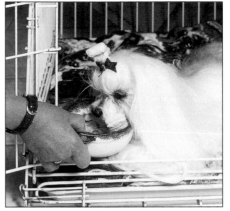

Recompense a su perro cuando se esté relajando tranquilamente en su jaula.

demasiado tiempo. Habrá aprendido a hacer sus necesidades en el suelo de hormigón de su perrera, ya que no podrá hacerlas en ningún otro sitio. El hormigón de algunas perreras se parece a la superficie del interior de algunos hogares (especialmente de los sótanos), así que quizás el perro crea que estas zonas de interiores son idóneas como lavabo.

Avanzando con la educación básica, ahora que hemos moldeado el compor-

Elogie a su perro mientras permanece en su jaula con la puerta cerrada.

Puede enseñar a su perro a hacer sonar un cascabel para que le haga saber que tiene que hacer sus necesidades.

tamiento en la jaula, será el momento de dar forma al comportamiento de salir a la calle a evacuar. Cuando saque a su perro fuera de casa, deberá enseñarle a «decirle» que necesita evacuar. Algunos de nosotros podemos interpretar fácilmente estos mensajes, ya que el animal acudirá hacia nosotros haciendo cabriolas, ladrando o colocando la cabeza sobre nuestro regazo. A otros propietarios les cuesta horrores darse cuenta de estas señales. Pero disponemos de un medio bastante bueno: enseñe al cachorro a hacer sonar un cascabel o campana colocado cerca de la puerta. Asegúrese de que el cascabel emita un volumen suficiente como para que pueda oírlo desde cualquier lugar de la casa. Cuelgue la campana a una altura lo suficientemente baja como para que el perrito pueda alcanzarla sin dificultad con la trufa o una pata.

Aquí le mostramos cómo hacerlo: al acercarse a la puerta para salir a la calle con su cachorro para que evacue, coloque una golosina sobre la campana. Asegúrese de que esté lo suficientemente bien pegado como para que el animal deba mover la campara para obtenerlo. Generalmente, un trozo de queso irá bien para este ejercicio. *Clique* y elogie al cachorro cuando consiga el premio que hay sobre la campana. Tan pronto como la campana emita un sonido, saque al perrito fuera, a su zona para hacer sus necesidades. Manténgale ahí y repita, una y otra vez, su orden para que haga sus necesidades hasta que haya evacuado. *Clique*, alábele y dele su premio cuando acabe. Hágalo cada vez que salga fuera con su cachorro. Si está trabajando para enseñarle a evacuar en un cajón sanitario (algunos propietarios de perros pequeños lo prefieren así), use la misma táctica, con la variación de que le colocará en el cajón y no le dejará salir hasta que haya hecho sus necesidades.

Al cabo de una semana, más o menos, el perrito captará la idea de hacer sonar el cascabel y evacuar fuera de casa (o en el cajón sanitario). Esto no significa que haya completado su educación básica, especialmente si tiene menos de seis meses o acaba de llegar a su hogar hace poco. Debe ser diligente y observador en todo momento. Si no puede vigilar a su perrito, deberá tenerle en algún lugar donde no pueda evacuar y ensuciar algo, como en su jaula, o fuera de casa, en una zona vallada.

Si pilla a su perro dirigiéndose hacia la campana, *clique*/alábele y prémiele. Esto reforzará el comportamiento, potenciándolo. Vigilar a su perro evitará los accidentes y que tenga que aplicar un castigo positivo para corregir su error. Si los accidentes se producen, deberá aplicar un castigo positivo si le coge con las manos en la masa, ya que si no, el cachorro creerá que puede evacuar dentro de casa. Su recompensa consistiría en aliviar su intestino o su vejiga.

La forma difícil de adiestrar a su perro consistiría en permitirle el acceso a zonas en las que no podría vigilarle. No mantener un programa para que el animal haga sus necesidades es otro paso en falso. No mostrarle dónde ir hará que el comportamiento degenere todavía más. Lleva tiempo y esfuerzo conseguir una buena educación bási-

ca: nunca crea lo contrario. No ceñirse a los pasos que les he señalado dará como resultado que deba castigar a su cachorro por algo que no comprende totalmente, y eso no es justo ni para una persona ni para un perro.

SALTAR ENCIMA DE LAS PERSONAS

Que el animal salte encima de las personas nunca hubiera sido un problema si nunca hubiera reforzado este comportamiento de una u otra forma. Sin embargo… es algo tan bonito cuando su perro es un cachorro… Salta encima de usted para decirle hola, y no puede evitar darle unas caricias y unos abrazos. Sin embargo, cuando crece (ya pese 10, 25 o 70 kilos) y tenga los pies llenos de barro, ya no será tan divertido, especialmente cuando salude a su anciana tía con tal entusiasmo. El perro no sabe que está haciendo algo incorrecto. Recibió, en el pasado, atenciones por saltar encima de las personas, por lo que siempre le ha resultado gratificante.

Lo que debe hacer, desde el principio, es extinguir esta conducta. Para lograrlo, no le proporcione atenciones (ya sean positivas o negativas) de ningún tipo cuando salte encima de usted. Esto significa que ni le tocará ni le hablará, ya que éstas son respuestas positivas. Tampoco deberá empujarle ni chillarle: son respuestas negativas. Incluso las respuestas negativas son gratificantes para un perro ávido de atenciones. La redirección es otra de las claves para la extinción de este comportamiento. De-

Cualquier forma de contacto es una recompensa para el salto encima de una persona del perro.

berá hacer que su animal preste atención a algo positivo, como sentarse para recibir atenciones. Deberá llevar a cabo esto de inmediato cuando el perro intente saltar encima de usted y recompensarle cuando lo haga bien.

Para evitar premiar a su perro por saltar encima de usted, gírese y aléjese o camine hacia atrás. Siga haciéndolo siempre que le salte encima. Si esto no funciona, deberá aplicar algún tipo de

El perro no encontrará tan divertido el saltar encima de las personas cuando sea ignorado.

reforzador negativo, como una caja que emita ruido, o rociarle en la cara con agua. Puede fabricar una caja que emita ruidos con facilidad, con una caja metálica que contenga algunas monedas. Cuando el perro le salte encima, agite la caja una o dos veces arriba y abajo. El ruido le asustará y dejará de saltarle encima. Si su perro es extremadamente sensible a los ruidos, no use este método. En lugar de ello, lleve un pulverizador de agua y rocíesela en la cara cuando le salte encima. Ambos métodos se consideran como un castigo positivo, ya que está añadiendo algo para generar el castigo. Un castigo negativo consistiría en que se diera la vuelta y se fuera: le está retirando su zona de «aterrizaje» (usted).

El paso siguiente o, mejor dicho, concurrente, es la redirección. Muestre al perro qué quiere que haga para así obtener atenciones, y recompénsele en cuanto lo haga. La mayoría de nosotros preferiríamos que nuestros perros se sentaran cuando quisieran recibir atenciones, en lugar de que salten incesantemente encima nuestro. Una vez haya conseguido que deje de saltarle encima, dígale que se siente. En cuanto su trasero contacte con el suelo, *clique*/elógiele y acaríciele. Cada vez que acude para sentarse a su lado, recompénsele con caricias y alabanzas. No es necesario que disponga de un *clicker* para reforzar este comportamiento. En este caso, el contacto es recompensa suficiente para promover el comportamiento correcto. Asegúrese, simplemente, de ser consciente del nuevo patrón de su perro para obtener atenciones (acudir a su lado y sentarse), y que deberá premiarle por hacerlo, ya que si no volverá a saltar encima de usted, por tratarse de una forma segura de obtener algún tipo de reacción por su parte.

EL CUBO DE LA BASURA (Y OTROS OBJETOS PROHIBIDOS)

El que un perro husmee en el cubo de la basura es difícil de solucionar. La simple recompensa en forma de comida es suficiente para potenciar este comportamiento. Será difícil que pueda enmascarar los olores que emanan del cubo de la basura, y tampoco habrá forma alguna de mantenerlo totalmente fuera de su alcance, a no ser que lo coloque en un lugar inaccesible. Aunque puede colocar el cubo en un sitio que el animal no pueda alcanzar, esto no eliminará la predilección del animal por husmear en la basura. No es fácil que un perro ignore un olor tentador. El resultado de sus acciones incorrectas deberá ser lo suficientemente desagradable como para que abandone esta práctica. Generalmente es difícil dar con algo más atractivo que unos huesos de chuletón o unos restos de carne. La mejor táctica consiste en no permitir que el perro ni siquiera se acerque al cubo de la basura. Deberá ser algo tan prohibido como su jarrón de porcelana china o sus caros zapatos de piel. Independientemente del objeto, el animal puede aprender a mantener su boca y sus patas alejadas.

Para condicionar a su perro para que no toque sus objetos valiosos (esto

también incluirá los cubos de la basura), deberá usar algún tipo de estímulo aversivo cuando se acerque o muestre interés por estos objetos. El estímulo aversivo puede consistir en un chorro de agua o un ruido que le asuste. Luego, recondúzcale hacia una acción más positiva usando uno de sus juguetes y recompénsele cuando redirija su atención hacia su juguete. Una vez más, el uso de una combinación de estas cosas (primero un estímulo aversivo y luego un juguete) será lo más productivo, ya que el estímulo aversivo proporcionará al perro unas «malas vibraciones» relacionadas con el objeto prohibido y luego obtendrá «buenas vibraciones» cuando evite el objeto y vaya hacia un juguete.

Deberá permanecer atento y diligente para cazar a su perro cuando muestre interés por la basura. Puede tratarse de un signo tan sutil como que olfatee el aire cerca del cubo o que olisquee el suelo, buscando el rastro gradualmente en esa dirección. Cójale en el acto de pensar en ese olor tentador y prevenga el problema antes de que ocurra, haciendo así que todo el proceso le quede cla-

Revolver entre la basura es un comportamiento autogratificante para el perro, ya que puede explorar todos esos olores interesantes y, muy probablemente, encontrar algo que comer.

ro. La comunicación es la clave de la fiabilidad, al igual que la constancia y los elogios.

COGERLE CON LA BOCA

El comportamiento de asir con la boca suele verse en los cachorros jóvenes y los perros con una personalidad dominante. Los cachorros cogen con la boca mientras juegan. Los perros dominantes asen con la boca para dejar algo claro: que son los que están al mando. Nunca debería permitir, bajo ningún concepto, que su perro le coja con la boca. No debe permitir un asimiento, ni siquiera uno suave, mientras estén jugando. Alguien podría acabar herido, y el perro se haría una idea equivocada sobre su jerarquía en su manada (familia). Generalmente podrá redirigir a su animal cuando le coja con la boca mostrándole un juguete y moviéndolo cerca de él. Los perros siguen el movimiento y, por tanto, el juguete en movimiento

El cachorro agradecerá un juguete blando.

se volverá más interesante que su pierna o su brazo, que están quietos, a no ser, por supuesto, que esté moviendo ese apéndice mientras intenta sacarlo de la boca del perro, en cuyo caso el juego le resultará todavía más interesante.

Otra cosa que puede hacer es asustarle diciendo «¡Ay!» en un tono de voz agudo y chillón. Cuando los perros juegan, tienden a hacer un poco el salvaje. La «llave de cierre» consiste en adoptar una posición sumisa o en que uno de los perros emita un sonido agudo, expresando así su malestar. Pocos de nosotros nos lanzaremos al suelo con el vientre hacia arriba y la cabeza echada hacia atrás, así que la siguiente mejor opción es un gritito. Tan pronto como su perro le suelte, rediríjale hacia uno de sus juguetes y juegue con él. La razón por la que le ase con la boca es que quiere que participe en el juego. Juegue según sus reglas y así podrá controlar mejor el comportamiento de su perro. Al final será usted quien decidirá el inicio del juego.

MORDISQUEAR

La mayoría de los cachorros mordisqueará cualquier cosa. Están comprobando el sabor de las cosas, además de conociendo su entorno. Será cosa de usted enseñar al perro el camino correcto. Asegúrese de que disponga de una amplia variedad de juguetes para morder adecuados para su raza y tamaño. Por ejemplo, no será buena idea que dé un juguete de látex que emite pitidos a una raza de gran tamaño, ya que el juguete

acabará destrozado de inmediato y hasta podría ser comido, provocando problemas digestivos o posibles lesiones internas. Los objetos comestibles para morder deberían ser probados en pequeñas cantidades para así asegurarse de que no provoquen problemas gástricos.

Una buena variedad de juguetes incluirá, muy probablemente, aquellos hechos de goma dura y nylon resistente y de varios tamaños y formas, y una tibia esterilizada. La tibia, al igual que algunos juguetes de goma, puede estar rellena de sustancias comestibles (como mantequilla de cacahuete), haciendo así que su perro esté ocupado durante largos periodos de tiempo. Hay otros tipos de juguetes interactivos, como los «cubos de golosinas», que podrá llenar con galletitas. Mientras su perro juega, de vez en cuando saldrá una golosina de uno de los agujeros del juguete. Esto también mantendrá al perro entretenido durante periodos de tiempo

prolongados, ya que nunca sabrá cuándo saldrá una galletita del cubo. Los juguetes para morder buenos para la dentadura disponen de pequeños bultos elevados o nódulos que eliminan la placa dental mientras el perro los muerde. A algunos perros les encantan los juguetes de peluche, y a otros los que hacen ruidos. Cuando dé a su perro algún juguete de uno de estos dos últimos tipos, asegúrese de que no los destroce, ya que su interior y cualquier trocito (los ojos, la nariz, etc.) podrían resultar peligrosos si se los traga. De hecho, es bastante inevitable que su perro destroce los juguetes blandos y los que emiten ruidos, así que será mejor que se los ofrezca bajo supervisión y que los retire al primer signo de que se están rompiendo.

Para mantener el interés de su perro por sus juguetes, deberá írselos cambiando y rotándolos, para que así crea que obtiene constantemente juguetes nuevos. Los juguetes «más nuevos» mantienen su interés durante más tiempo. Si su animal está en su periodo de dentición, ofrézcale juguetes como cubitos de hielo o un trapo de cocina que haya humedecido, retorcido y congelado. Los juguetes fríos aliviarán sus encías, reduciendo el dolor propio del proceso de dentición.

Con abundancia de juguetes a su alrededor, podrá redirigir fácilmente a su perro, cuando esté mordisqueando la pata de una silla, para que se divierta con uno de sus juguetes. Esto requerirá que vigile constantemente sus actividades, lo que al final le proporcionará

Un hueso de juguete con bultos será útil para mantener los dientes limpios.

Los ladridos del perro no deberían verse recompensados con atenciones, ya que si no, le estará animando a ladrar para obtener atenciones. Ni siquiera establezca contacto ocular.

unos buenos dividendos, ya que aprenderá que sus muebles no forman parte de su arsenal de juguetes. Además, aprenderá esto de forma positiva.

Puede dar un paso más en la potenciación para que su perro juegue con sus juguetes usando su utensilio para el puenteo. Cuando el animal toque uno de sus juguetes, *clique*/elógiele y prémiele jugando con él y con su juguete. No tiene por qué recompensarle siempre con comida: un juguete puede ser igualmente satisfactorio.

LADRIDOS EXCESIVOS

Los ladridos son otro comportamiento autogratificante, por lo que será necesario algo bastante más atractivo o repulsivo para evitar que un perro ladre en exceso. Sus gritos para que el perro deje de ladrar no hacen sino sumarse a

la diversión, y lo que habrá conseguido es unirse a la «fiesta del ladrido». Aunque se puede «reprogramar» a algunos perros para que abandonen esta molesta conducta a través de técnicas de moldeo de refuerzo positivo, hay otros que disfrutan tanto ladrando que no les importará qué recompensas, juguetes o actividades use a modo de cebo. También tenemos a aquellos que estarán callados mientras esté usted en casa pero que ladrarán cuando se marche: lo más probable es que se trate de ladradores territoriales. Estos perros creen que tienen el cometido de mantener alejados a los intrusos, incluso aunque se trate de ardillas o gorriones. Un intruso es cualquiera que penetre en su propiedad, sin importar su tamaño ni su especie.

Algunos perros ladran debido a la ansiedad por separación. Puede estar relativamente seguro de que su perro sufre este problema si está tranquilo y relajado mientras está usted en casa pero sus vecinos le dicen que pasa todo el día ladrando cuando se queda solo en casa. Este tipo de ladrido probablemente sea el más difícil de solucionar. Cuanto más sea castigado el animal por este comportamiento, peor se volverá.

Puede que lleve algo de tiempo curar al ladrador excesivo. Para lograrlo usando el refuerzo positivo, deberá ser constante y dedicarse de verdad. Probablemente, lo mejor sea usar el alimento de su perro, ya que si no le hinchará a golosinas y luego no consumirá su comida. Antes de empezar, hágase con una riñonera o bolsita para llevar su comida, un juguete que emite pitidos y el clicker. El juguete que emite pitidos hará las veces de distracción, el *clicker* reforzará y la comida recompensará el comportamiento correcto.

Para empezar, enfrente a su perro a una situación en la que, normalmente, ladraría. Mientras esté en silencio, *clique* y prémiele. Si ladra, haga sonar el juguete hasta que pare para investigar. Cuando lo haga, *clique*/elógiele y recompénsele. Repítalo a lo largo de toda la sesión de adiestramiento. Cada vez que enfrente a su animal a esta situación, lleve sus herramientas consigo. Úselas constantemente y tenga paciencia. Le llevará mucho tiempo superar un comportamiento autogratificante.

La parte más difícil consistirá en condicionar a su perro cuando no esté usted en casa. Para continuar usando las técnicas de refuerzo positivo, no puede permitir que su perro se encuentre en la situación que provocará que ladre cuando no pueda reforzar sus reacciones, ya que ello echaría por tierra lo que haya conseguido. Si no le queda más opción que dejar a su perro enfrentado a la situación que provocará sus ladridos, deberá usar una técnica de refuerzo negativo. ¿Recuerda que no me gusta recurrir a ellas?... bien, en esta situación puede que sea necesario.

El refuerzo negativo para curar los ladridos excesivos generalmente implicará el uso de un collar antiladridos. Existen varios tipos, y el tipo que use dependerá de su perro. Una vez más, lo mejor será consultar a un profesional cuando vaya a usar una técnica desconocida. El refuerzo negativo extinguirá un comportamiento usando una sensación dolorosa o incómoda. Hacerlo incorrectamente podría dañar a su perro emocional y/o físicamente. Los distintos tipos de collar son el de citronela y el de estimulación electrónica. El de citronela pulverizará esta sustancia sobre la trufa del perro cada vez que ladre. Si es sensible a ella, su

ARRIBA: Implicar al perro en juegos interactivos con sus juguetes potencia que escoja cosas correctas con las que jugar.
ABAJO: La atención y las caricias recompensan su comportamiento adecuado.

comportamiento de ladrar pronto se extinguirá. Si no es así, deberá recurrir a algo que sienta, como el collar de estimulación electrónica. Existen varios tipos de estos collares: hay uno que, simplemente, emite un sonido vibrante cuando el animal ladra, un tipo que emitirá una descarga eléctrica en cuanto el perro ladre y otro que permitirá que el perro ladre tres o cuatro veces antes de emitir la descarga. Generalmente, los collares que emiten descargas disponen de varios niveles, para que así pueda graduarlos según la sensibilidad de su animal.

Ésta es la única ocasión en la que hablaré del refuerzo negativo, ya que un problema con los ladridos excesivos puede dar lugar a consecuencias negativas. He visto a demasiados perros que ladraban excesivamente acabar en protectoras, ser eutanasiados o ser operados para que les extirparan las cuerdas vocales. Todas estas medidas extremas pueden evitarse mediante la diligencia y los cuidados del propietario. Debe tener una mentalidad abierta y usar cuantos medios humanitarios tenga a su alcance para asegurarse de que su perro sea un miembro de su familia cuidado y querido, y que no se le abandone por culpa de lo que supone un comportamiento que se puede curar.

ROBOS

Se trata de una conducta similar a la de mordisquear: su animal roba un calcetín o un zapato y comienza a destrozarlo, pasando un gran rato mientras lo hace. Frecuentemente, los robos son una forma de obtener atenciones. El perro ha aprendido que si coge algo que se supone que no debe tocar iniciará un divertido juego de persecución. Hay varias formas de tratar esto: una consiste en recompensar al animal siempre que se entretenga con sus juguetes y uniéndose a su diversión. También deberá ignorarle cuando robe algo, como su colada, y se escape con ella. Generalmente, el perro no roba objetos para acabar mordisqueándolos, sino para iniciar las alocadas carreras que siguen a dicho comportamiento. Sin embargo, si su animal es de aquellos que tiende a destruir el botín de su latrocinio, deberá recuperar el objeto con bastante presteza. La redirección no funcionará, ya que la propiedad robada es recompensa suficiente como para provocar el comportamiento.

En lugar de ello, tenga a su perro sujeto con una correa. No le permita

Un perro feliz sonreirá, jadeará y portará las orejas a los lados.

acceder a ningún lugar desde el que no pueda verle. Cuando olisquee o se abalance sobre algo que se supone que no puede tomar, coja la correa y dígale que acuda hacia usted. Recompénsele con elogios e intente que se interese en entretenerse con uno de sus juguetes. Incluso mejor, proporciónele un juguete interactivo que le mantenga ocupado, como un cubo lleno de golosinas o una tibia hueca o algún tipo de juguete de goma que hayan sido rellenados con algún tipo de comida sabrosa. De esta forma podrá redirigir a su perro de forma positiva, mostrándole que jugar con sus juguetes es más gratificante que coger otros objetos.

SALIR CORRIENDO HACIA LA PUERTA

Un perro puede salir corriendo hacia la puerta debido a razones territoriales o para darle una calurosa bienvenida. El método que use para solucionar el problema dependerá enormemente de la razón de su comportamiento. Asegúrese de fijarse en los patrones generales de comportamiento de su perro para discernir por qué sale corriendo hacia la puerta. Un perro territorial gruñirá, ladrará, saltará encima de y, probablemente, arañará la puerta. Además, un perro territorial mostrará un lenguaje corporal dominante, con las orejas echadas hacia delante, la cola erguida, los pelos de punta y el cuerpo tieso. Por otro lado, un animal que dé la bienvenida exuberantemente ladrará, le saltará encima, moverá la cola y correteará alrededor de la puer-

ta, se meneará de un lado a otro, tendrá las orejas gachas y/o hacia atrás y dará saltitos alegres.

Otra situación en la que el perro saldrá corriendo hacia la puerta se da en el caso del animal escapista. Ya podrá imaginar: lo que hay fuera siempre parece más interesante. Un artista del escapismo está expectante y esperando su oportunidad: el timbre suena, abre usted la puerta y… el perro ha escapado, iniciándose una persecución por todo el vecindario que le dejará tenso y agotado y, además, el perro volverá a casa cuando le apetezca tras haber correteado con otros perros por la calle, haber comido un pedazo del cadáver de un animal que se encontró en el bosque y haberse dado un baño en un charco con agua fangosa, para luego sacudirse con placer en cuanto entre en casa, dejándole cubierto de un barro apestoso, al tiempo que se pone rojo de ira, intentando (no sin que le cueste horrores) no castigarle severamente por haberse comportado bien

«¿Quién está ahí?» Algunos perros no pueden esperar para saludarle cuando usted, o unos invitados, llegan a casa.

fuera. A medida que su perro se vaya quedando quieto durante un ratito, vaya prolongando la duración. Practique también caminando a su alrededor, escondiéndose detrás de la puerta o detrás de la pared exterior. Póngale a prueba de las distracciones haciendo que otras personas o animales pasen a través de la puerta.

Durante el proceso de adiestramiento, sería una buena idea que pusiera a su perro una correa de entre 1,20 y 1,80 metros mientras su perro esté dentro de casa. Esto le permitirá evitar su huida cogiéndola o pisándola cuando salga corriendo hacia la puerta. Luego podrá darle la orden de sentado/quieto o tumbado/quieto disponiendo de los medios para asegurarse de que cumplirá. Si resulta que lleva el *clicker* y un premio consigo, úselos. Si no es así, como suele ser el caso, elógiele y acaríciele en un lugar que le guste mucho. Muéstrele siempre que es mucho más gratificante quedarse dentro de casa que salir corriendo por la puerta. Si su animal se está escapando con la mera intención de socializar, quizás deba pensar en hacerse con otro perro. Si está más a gusto en casa, tenderá a quedarse en ella.

El ejercicio de quedarse quieto al lado de la puerta también será de ayuda en el caso del perro que da una bienvenida exuberante. Le mostrará que nadie le recompensará con una caricia si antes no se controla. Deberá decir a todos aquellos que entren en casa que no deberán tocar al perro hasta que se calme, para así no recompensarle por ir saltando encima de la gente. Después de que

volviendo a casa, sin importar cuánto tiempo le haya llevado volver.

La mejor forma de tratar con este tipo de personajes consiste en crear un patrón positivo. Empiece haciendo que su perro deba siempre sentarse/quedarse quieto y/o tumbarse/quedarse quieto al lado de la puerta. No deberá cruzar el umbral sin que antes le diga que tendrá que andar al pie. Condiciónele mediante la repetición. Varíe el tiempo durante el que su animal deberá quedarse quieto y las órdenes que le dará a continuación. Por ejemplo: una vez cruzarán la puerta con el perro andando al pie, otra vez hará que el animal deba acudir hacia usted, volviendo a entrar en casa. Debe comprender que una puerta abierta no siempre significa que va a salir el animal se quede quieto por lo menos un minuto, podrá darle tiempo libre y una caricia, siempre que permanezca sentado. En cuanto se levante acabarán las caricias.

La solución en el caso de un perro territorial resulta algo más difícil. Deberá trabajar bastante para redirigir su comportamiento, al tiempo que no extingue su eficacia como perro guardián. En primer lugar, deberá escoger una orden para que se calme, como «Basta», «Tranquilo» o «Silencio». Deberá recompensarle abundantemente cuando cumpla, incluso aunque le lleve algunos minutos hacerlo. En segundo lugar, necesitará un medio para redirigirle y reforzarle. La redirección puede llevarse a cabo con una campana o una carraca. Una vez hayamos distraído al perro de sus ladridos y que éste empiece a investigar la fuente de ese ruido, *clique* y recompénsele. Si el animal no advierte el ruido, deberá apoyar su orden en un tono tranquilo cogiendo la correa y haciendo que lleve a cabo un «tumbado/quieto». Es mejor un «túmbate/quieto» que un «siéntate», ya que la posición de tumbado es de mayor sumisión y le costará más levantarse estando tumbado. Sin embargo, si no dispone de medios para apoyar su orden dicha en un tono tranquilo (es decir, ni un collar ni una correa), deberá aplicar el castigo positivo, que puede consistir en rociarle con agua o citronela, agitar la «caja ruidosa» o cogerle y echar su trufa hacia abajo mientras le mira directamente a los ojos y aplica un castigo verbal secundario (un «No» emitido en un tono de voz grave). Sería buena idea usar un arnés para la cabeza en este momento. A veces es más fácil aplicar presión sobre el hocico de su perro con una correa que intentar que se quede lo suficientemente quieto como para cogérselo. La rapidez será de ayuda para conseguirlo.

Practique haciendo que su perro deba acudir hacia usted cada vez que oiga

«¿Sabe eso tan bien como huele?». Para un perro al que le gusta subirse a las mesas, sólo hay una forma de averiguarlo. Evite que se suba a las mesas retirando las tentaciones.

a alguien llamando a la puerta o al timbre. Debe enseñarle cómo comportarse ante estas indicaciones. La repetición condicionará. Una vez haya conseguido que su perro le preste atención, refuerce siempre este comportamiento premiándole. Debe aprender que es mucho más positivo prestarle atención y calmarse que ignorarle y tener comportamientos molestos. Deberá hacer que lo que usted le ofrece le resulte más apetecible.

SALTAR ENCIMA DE LAS MESAS

Sí, se trata de otra conducta autogratificante. Le va a costar convencer a su perro de que no debe subirse a las mesas, lo que implica saltar encima o colocar sus patas sobre una mesa o mostrador para investigar, robar algo o comerse lo que encuentre. Saltar encima de una mesa siempre proporciona recompensas de algún tipo. La mejor forma de empezar consiste en no tener nada comestible ni cosas que puedan ser divertidas para el animal sobre las mesas; es decir: no tenga nada encima de las mesas. Si no hay nada que provoque la tentación, esta actividad carecerá de sentido.

Sólo podrá solucionar este problema si está cerca para verlo. Así, no permita que su perro tenga acceso a la cocina o al lavabo, donde no podrá vigilarle. Téngale sujeto por su correa en todo momento para así poder corregir rápidamente su comportamiento si la redirección o un ruido molesto no surten efecto. No debería permitirle tener las patas sobre la mesa mientras inten-

ta redirigirle o tentarle con una golosina. Este simple hecho puede ser suficiente para potenciar esta conducta, ya que habrá conseguido captar su atención.

Frecuentemente, la «caja ruidosa» será suficiente para desalentar el comportamiento. Agite la caja al tiempo que da al perro una reprimenda verbal en un tono de voz grave. Con constancia e insistencia, esta mera acción debería extinguir el comportamiento. Una alfombra que emita descargas eléctricas también debería conseguirlo. Ya he comentado que este utensilio emite una descarga eléctrica que provoca una molestia al animal al tocarla. Esto es suficientemente desagradable como para detener a los perros que se suben a las mesas. La alfombra eléctrica es un reforzador negativo, y su perro querrá evitarla. Nota: también funciona en el caso de los gatos.

También puede usar un truco parecido al usado para que el animal salga corriendo por la puerta. Si el animal parece interesado por lo que hay encima de las mesas, rediríjale con un juguete que emita pitidos. Cuando mire hacia usted en lugar de colocar las patas sobre la mesa, *clique*/elógiele y prémiele. Si no haya nada sobre la mesa que pueda resultarle gratificante, aprenderá pronto que las recompensas proceden de usted, lo que hará que le siga a todas partes en lugar de acudir hacia las mesas para obtener una gratificación. Es mejor que el perro le siga, como si fuera su sombra, que tener un perro ladronzuelo.

Índice alfabético